Canfod ac Ad

COED

CW00840413

Esmond Harris
Cyfarwyddwr y Gymdeithas Goedwigaeth Frenhinol

Addasiad Twm Elias

Darlunio gan
Annabel Milne a Peter Stebbing

Cynnwys

Dyluniwyd gan
Sally Burrough

Golygwyd gan
Ingrid Selberg a Sue Jacquemier

Darluniau ychwanegol gan
Christine Hawes

Addasiad Cymraeg gan
Twm Elias

Argraffwyd ym Mhrydain.

Cyhoeddwyd gyntaf yn 1978 gan
Usborne Publishing Cyf., Usborne House
83-85 Saffron Hill, Llundain EC1N 8RT.

Teitl gwreiddiol: *Trees*.

© 1985, 1979 Usborne Publishing Cyf.

Argraffiad Cymraeg cyntaf: 1998

Hawlfraint y testun Cymraeg: ⓗ Twm Elias ©

Cedwir pob hawl. Ni chaniateir atgynhyrchu unrhyw ran o'r cyhoeddiad hwn na'i gadw mewn cyfundrefn adferadwy na'i drosglwyddo mewn unrhyw ddull na thrwy unrhyw gyfrwng, electronig, electrostatig, tâp magnetig, mecanyddol, ffotogopïo, recordio, nac fel arall, heb ganiatâd ymlaen llaw gan y cyhoeddwyr, Gwasg Gomer, Llandysul, Ceredigion.

Cyhoeddwyd gan Wasg Gomer, Llandysul, Ceredigion SA44 4BQ

Sut i Ddefnyddio'r Llyfr Hwn

Llyfr adnabod yw hwn ar gyfer rhai o goed Prydain ac Ewrop yn bennaf, ac ambell goeden o rannau eraill o'r byd. Ni fydd pob un ohonynt yn tyfu'n gyffredin nac yn wyllt yn eich ardal chi, ond gallwch eu gweld trwy ymweld â pharciau a gerddi arbennig. (Ceir rhestr o lefydd i ymweld â nhw ar dudalen 60.)

Trefnir y llyfr fel bod y coed conwydd yn gyntaf, yna coed llydanddail a llwyni. Bydd y rhai sy'n perthyn yn agos i'w gilydd, e.e. coed derw, wedi eu gosod gyda'i gilydd.

Mae'r lluniau yn dangos nodweddion defnyddiol a fydd yn eich galluogi i adnabod pa goeden yw hi ar unrhyw adeg o'r flwyddyn. Ar gyfer pob coeden dangosir y ddeilen, y rhisgl, siâp y goeden yn ei dail ac yn y gaeaf (os yw'n gollddail). Dangosir hefyd y blodau a'r ffrwythau (neu gonau) os ydyn nhw o gymorth i adnabod y goeden. Cofiwch, mae llawer o nodweddion i'ch helpu i adnabod coeden, felly edrychwch ar gynifer ohonynt â phosib.

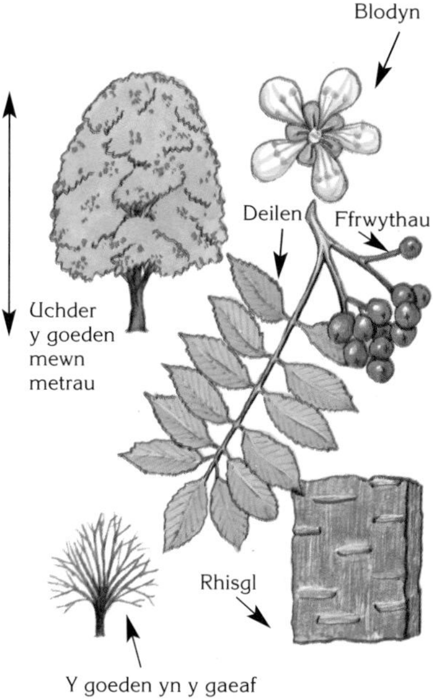

Wrth ymyl pob disgrifiad fe welwch gylch bychan gwag. Pan welwch y goeden gallwch roi tic yn y cylch.

Taflen sgorio

Yng nghefn y llyfr gallwch ennill pwyntiau am bob coeden a welwch. Bydd coeden gyffredin yn werth 5 pwynt ac un brin yn werth 25 pwynt. Bydd yn hwyl cyfri eich sgôr ar ôl diwrnod o gofnodi.

Tud.	Coeden	Sgôr	Dyddiad Ebrill 27	Dyddiad Mai 2	Dyddiad Mai 4
28	Gwernen	5	5	5	
28	Gwernlwyd	15		15	
29	Criafolen	5	5	5	5

Rhannau o Goeden

Mae coeden yn blanhigyn sy'n tyfu o un boncyff canolog, tra bo llwyn fel arfer yn llai, gyda llawer o foncyffion yn tyfu o'r bôn.

Gellir rhannu coed i ddau brif ddosbarth: coed **conwydd** a **llydanddail**. Dail main tebyg i nodwyddau neu rai bychain fel cen sydd gan goed conwydd ac maent yn dal eu hadau mewn conau (neu foch coed) prennaidd. Dail llydan gwastad (sy'n cwympo yn y gaeaf) sydd gan goed llydanddail, ac mae eu hadau y tu mewn i ffrwythau meddal neu blisgyn caled sych (cnau).

Tra bod y rhan fwyaf o goed conwydd yn cadw eu dail dros y gaeaf, bydd y rhan fwyaf o'r coed llydanddail yn bwrw eu dail yn yr hydref a thyfu rhai newydd yn y gwanwyn.

Yn y lluniau isod dangosir gwahanol rannau coeden ac ystyron rhai o'r enwau a welwch yn y llyfr.

Dail

Ceir llawer iawn o wahanol siapiau i'r dail. Dangosir y rhai mwyaf arferol yma.
Gelwir deilen sydd yn un darn yn *syml* neu *undarn*.

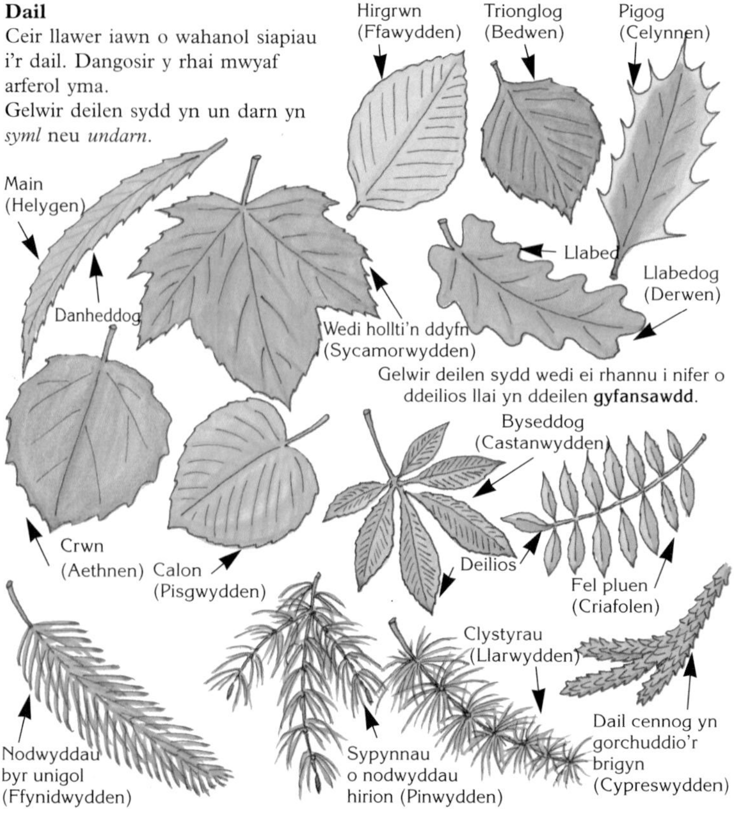

Blodau

Mae gan bob coeden flodau sy'n datblygu'n ffrwythau. Dyma rai o'r gwahanol fathau o flodau.

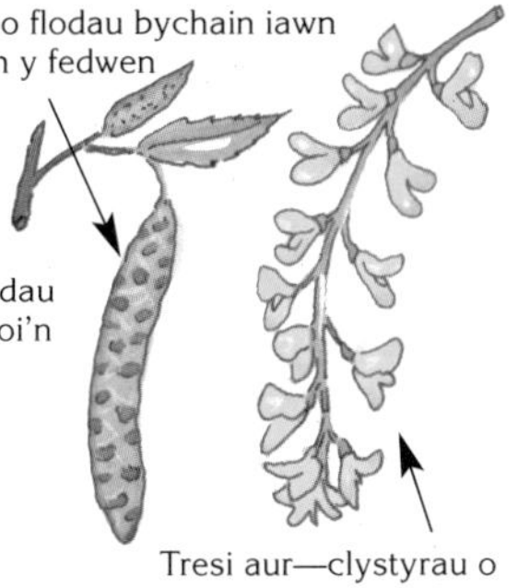

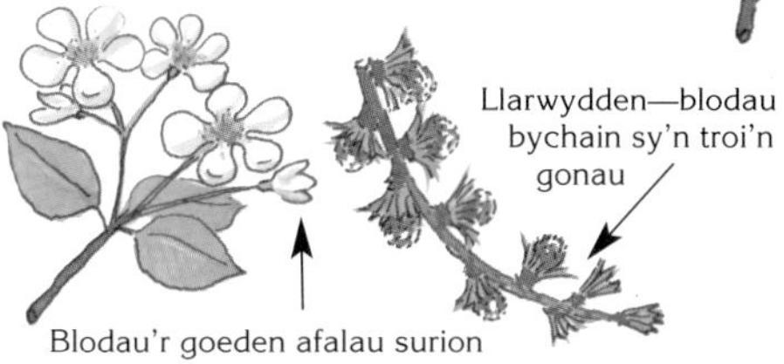

Ffrwythau a Hadau

Y tu mewn i'r ffrwythau ceir yr hadau fydd yn tyfu'n goed newydd.

Ceir llawer o wahanol fathau o ffrwythau ar goed llydanddail.

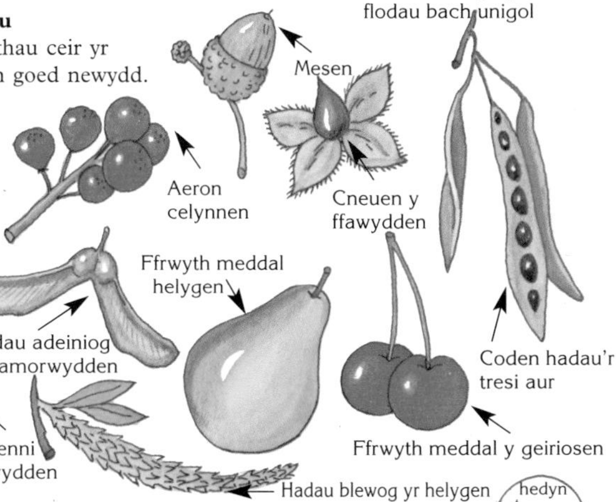

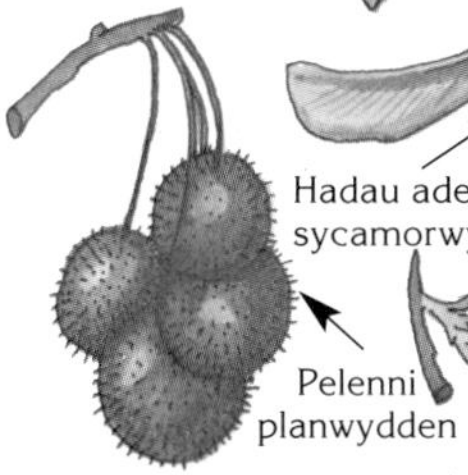

Ffrwythau prennaidd y coed conwydd yw **conau** neu **foch coed**. Maent wedi eu hadeiladu o nifer o gennau trwchus a cheir amryw o wahanol fathau ohonynt. Ceir hadau bychain adeiniog rhwng pob cennyn.

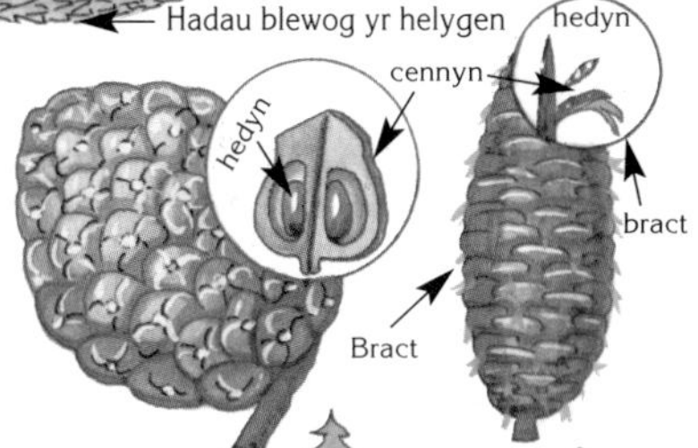

Mae **bract** yn debyg i ddeilen fechan ar waelod pob cennyn. Dim ond ar gonau rhai conwydd y gellir gweld y bractau.

Y **rhisgl** yw'r croen caled sy'n amddiffyn y goeden. Gall fod yn llyfn neu yn arw.

Pen y goeden yw ei chopa deiliog. Gall siâp y pen amrywio llawer o'r naill rywogaeth i'r llall.

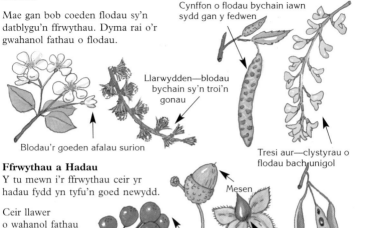

Coed Conwydd

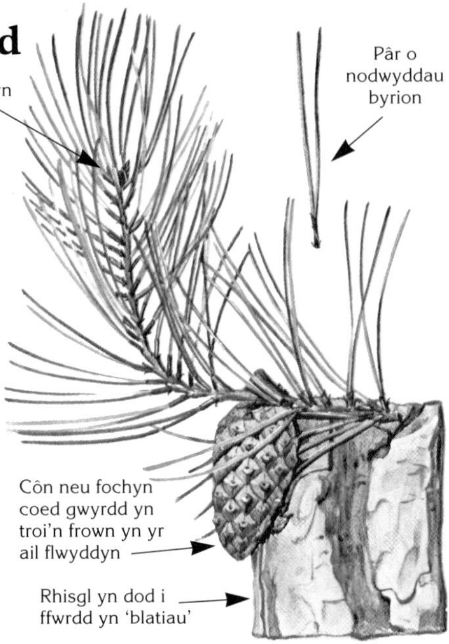

▲ **Pinwydden yr Alban**
Parau o nodwyddau gwyrddlas. Y rhisgl llwyd rhychiog yn cochi tua'r brig. Yr unig binwydden frodorol ym Mhrydain.

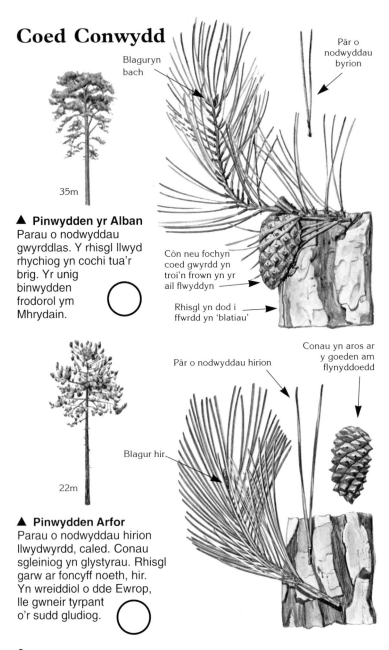

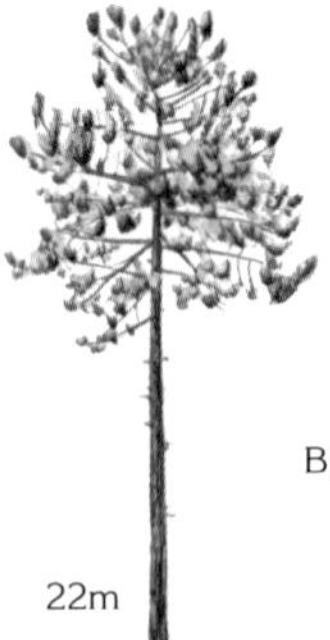

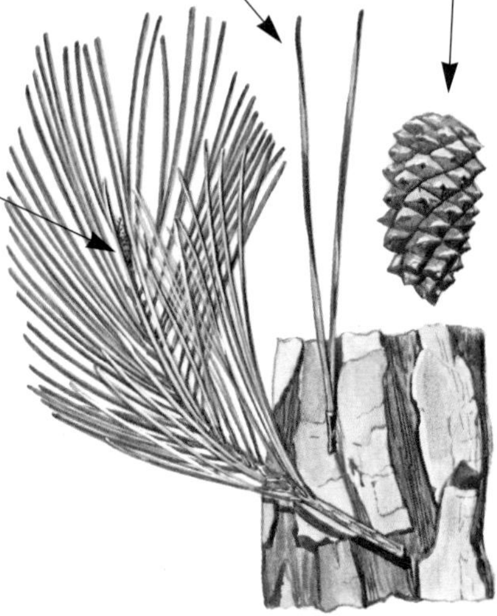

▲ **Pinwydden Arfor**
Parau o nodwyddau hirion llwydwyrdd, caled. Conau sgleiniog yn glystyrau. Rhisgl garw ar foncyff noeth, hir. Yn wreiddiol o dde Ewrop, lle gwneir tyrpant o'r sudd gludiog.

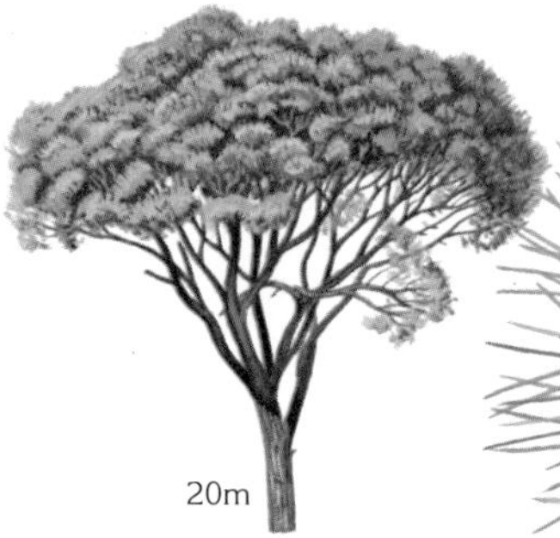

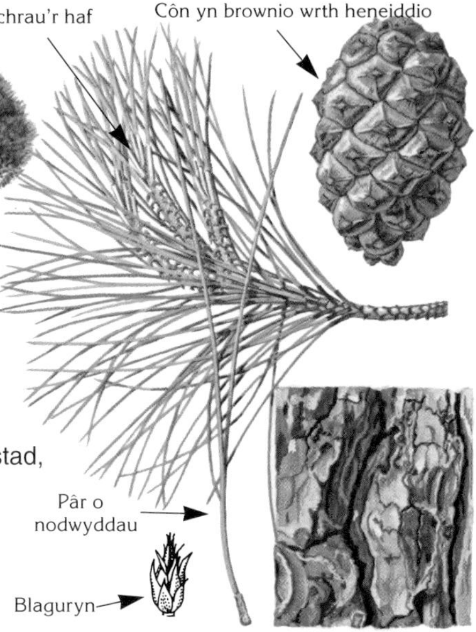

▲ Pinwydden Gneuog
Parau o nodwyddau hirion, gwyrdd tywyll. Y pen yn wastad, ar ffurf ambarél. Fe'i tyfir yn ardal Môr y Canoldir am yr hadau bwytadwy yn y conau mawr llydan.

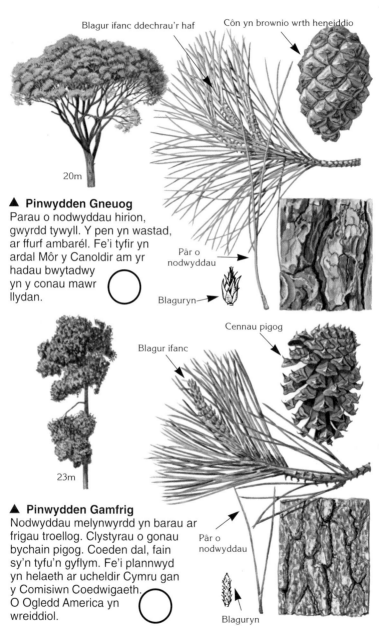

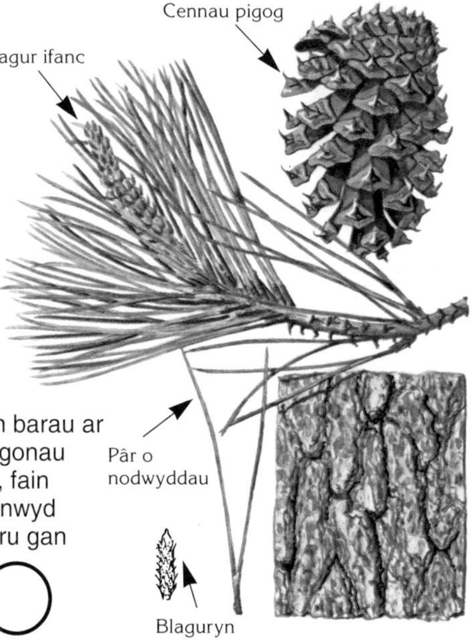

▲ Pinwydden Gamfrig
Nodwyddau melynwyrdd yn barau ar frigau troellog. Clystyrau o gonau bychain pigog. Coeden dal, fain sy'n tyfu'n gyflym. Fe'i plannwyd yn helaeth ar ucheldir Cymru gan y Comisiwn Coedwigaeth. O Ogledd America yn wreiddiol.

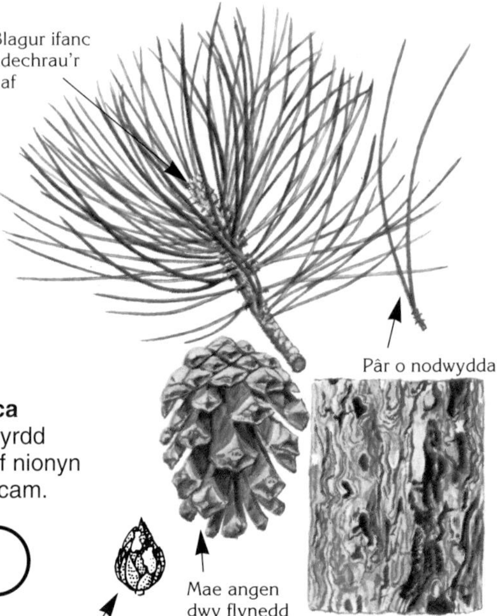

▲ Pinwydden Corsica
Nodwyddau hirion, gwyrdd tywyll. Blaguryn ar ffurf nionyn bychan. Conau mawr cam. Boncyff tal tywyll. Mae'n tyfu'n dda ar dir tywodlyd, sych. ◯

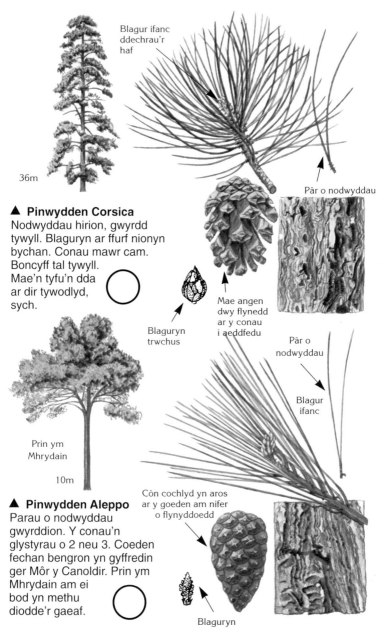

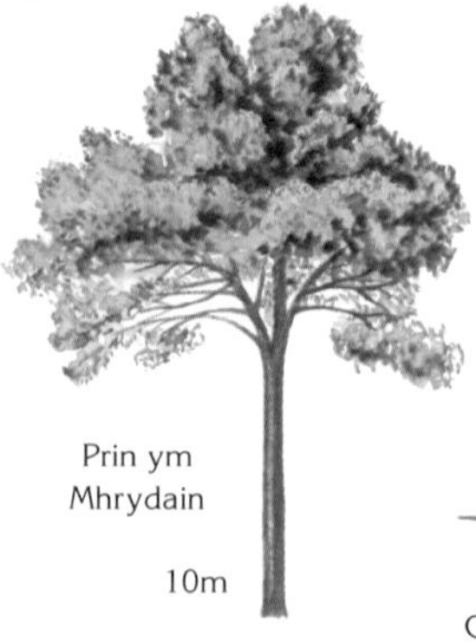

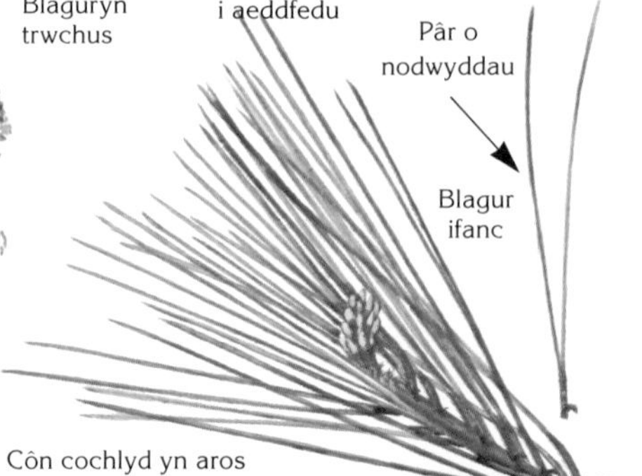

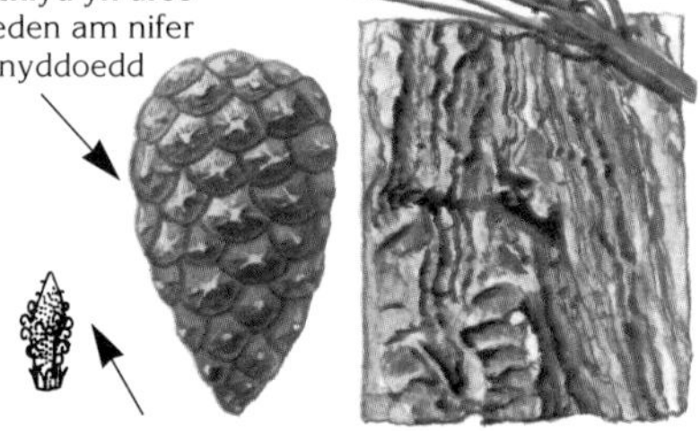

▲ Pinwydden Aleppo
Parau o nodwyddau gwyrddion. Y conau'n glystyrau o 2 neu 3. Coeden fechan bengron yn gyffredin ger Môr y Canoldir. Prin ym Mhrydain am ei bod yn methu diodde'r gaeaf. ◯

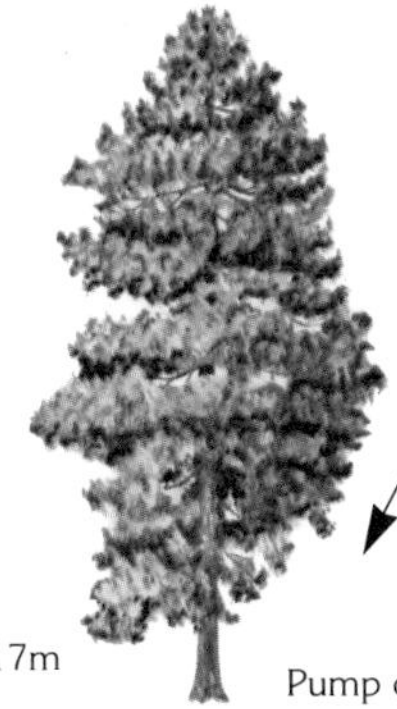

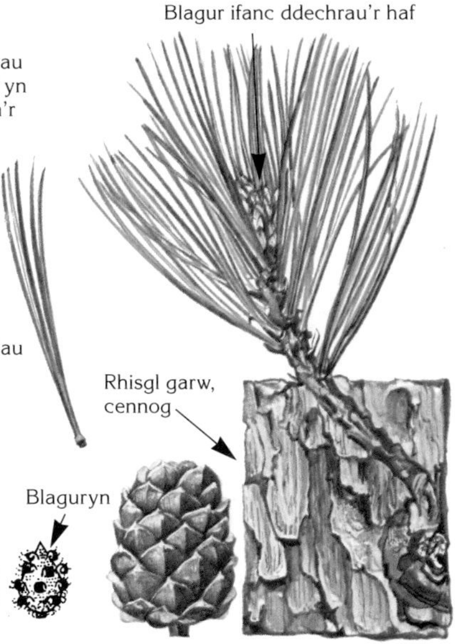

▲ Pinwydden Arolla
Nodwyddau caled yn bumoedd. Blagur bychain gludiog. Conau hirgrwn a hadau bwytadwy. Fe'i plennir yn yr Alpau i amddiffyn pentrefi rhag llithriad eira. ○

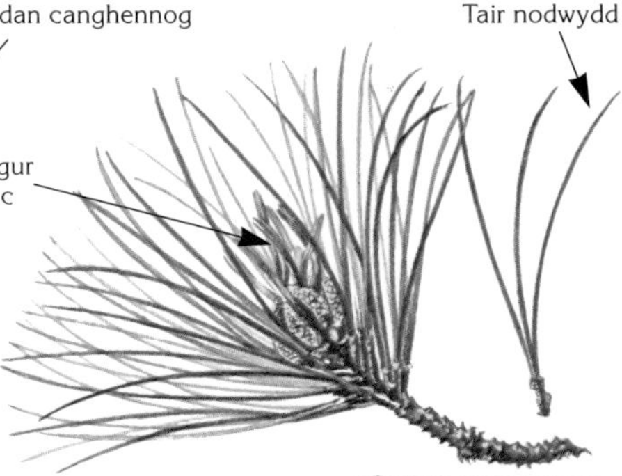

▲ Pinwydden Monterey
Nodwyddau main gwyrdd yn driawdau. Blagur mawr gludiog. Conau byrdew yn aros ar y goeden am flynyddoedd.
O Galiffornia yn wreiddiol. ○

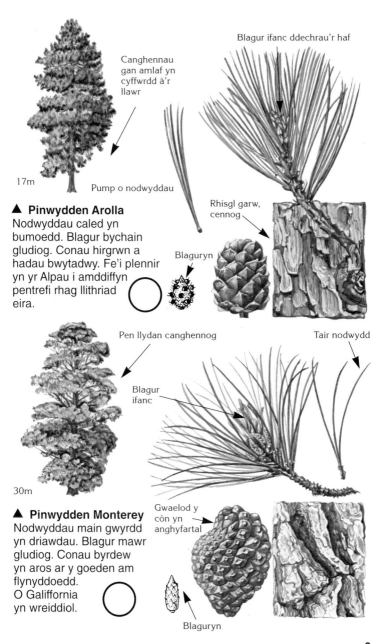

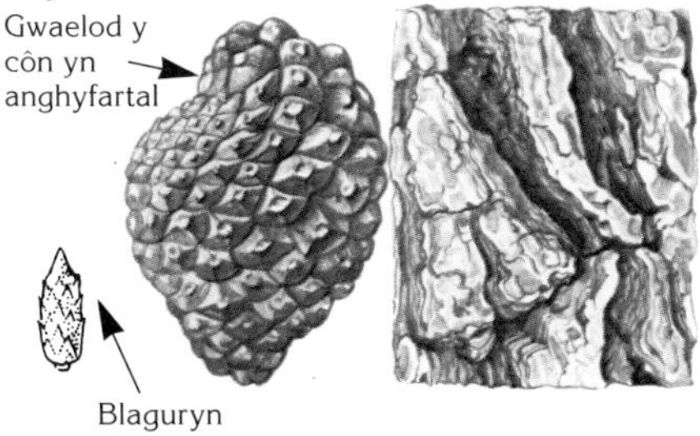

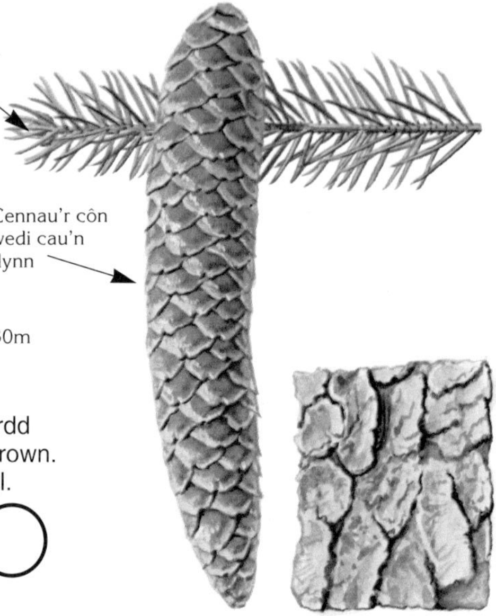

▲ Sbriwsen Norwy

Nodwyddau pigog, gwyrdd tywyll. Blagur bychain brown. Mae'n tyfu ar ffurf triongl. Dyma'r goeden Nadolig gyfarwydd. ◯

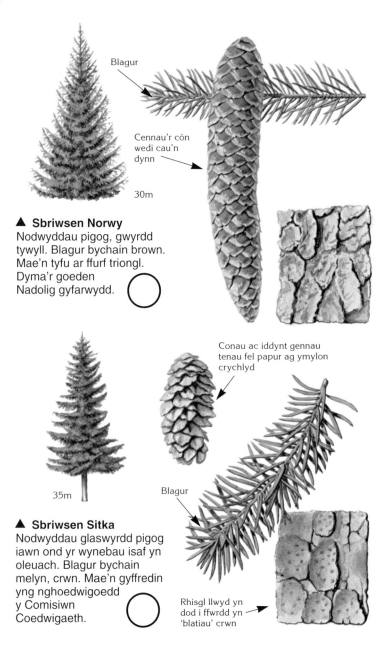

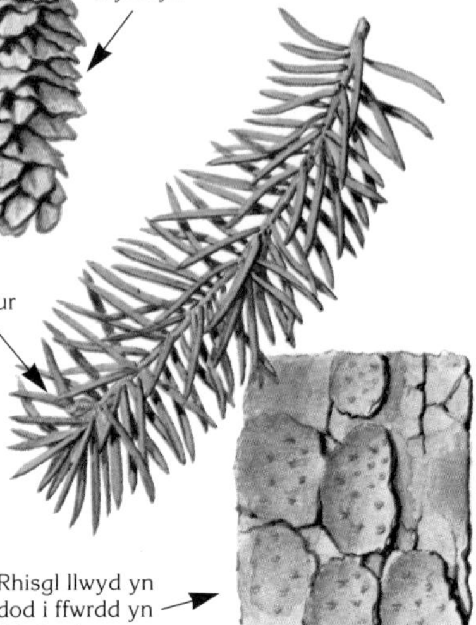

▲ Sbriwsen Sitka

Nodwyddau glaswyrdd pigog iawn ond yr wynebau isaf yn oleuach. Blagur bychain melyn, crwn. Mae'n gyffredin yng nghoedwigoedd y Comisiwn Coedwigaeth. ◯

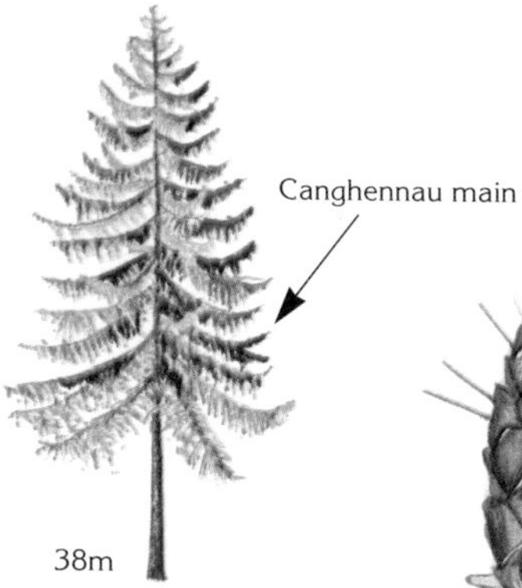

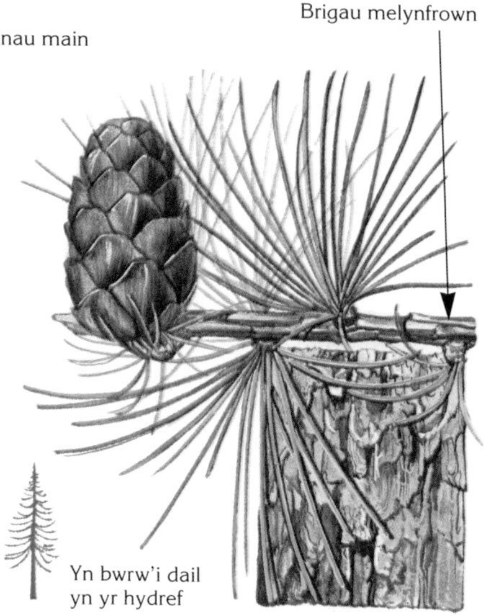

▲ Llarwydden Ewropeaidd

Sypynnau o nodwyddau meddal, gwyrdd golau yn cwympo yn yr hydref. Ceir blodau bychain gwryw melyn a rhai bychain menyw coch yn y gwanwyn.

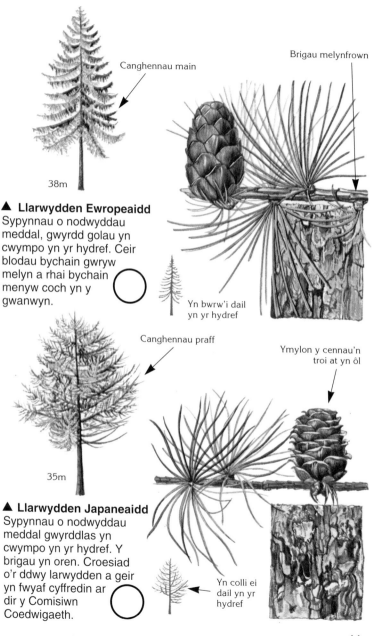

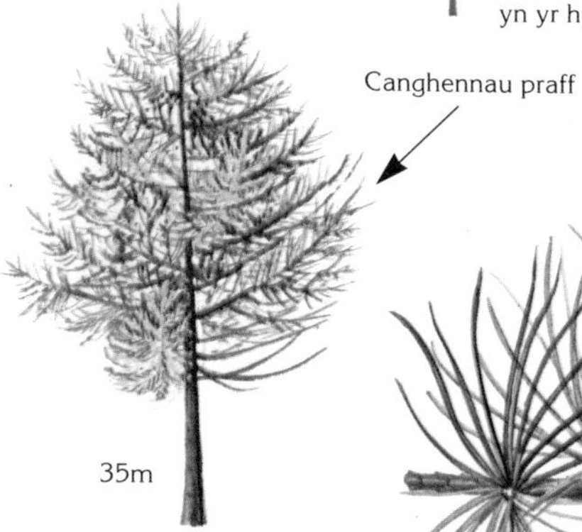

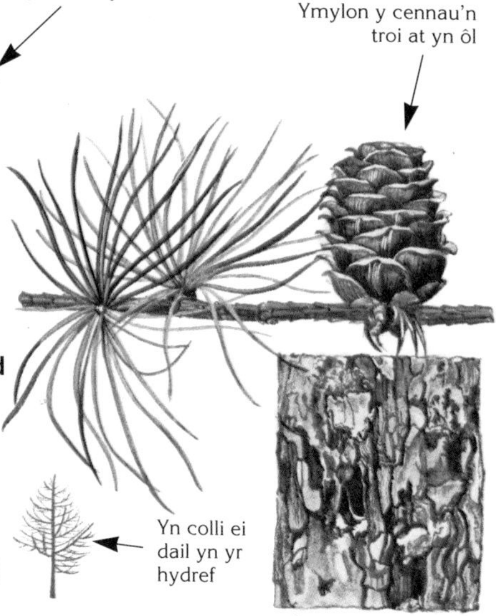

▲ Llarwydden Japaneaidd

Sypynnau o nodwyddau meddal gwyrddlas yn cwympo yn yr hydref. Y brigau yn oren. Croesiad o'r ddwy larwydden a geir yn fwyaf cyffredin ar dir y Comisiwn Coedwigaeth.

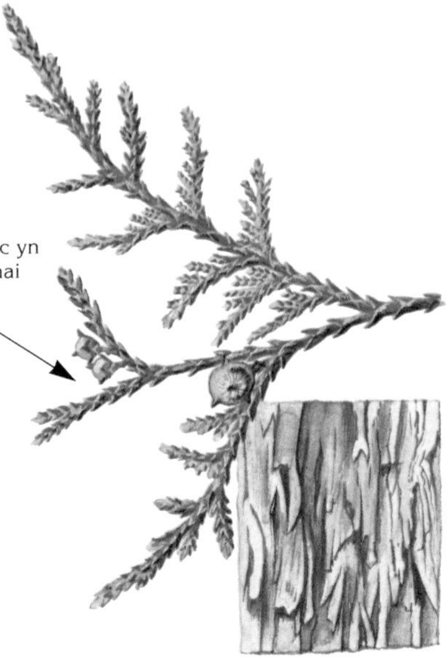

▲ Cypreswydden Nootka

Canghennau'n tyfu ar i fyny. Y dail bychain cennog yn gorchuddio'r brigau. Conau bychain a phigau arnynt. Defnyddid y pren yng Ngogledd America i wneud canŵs.

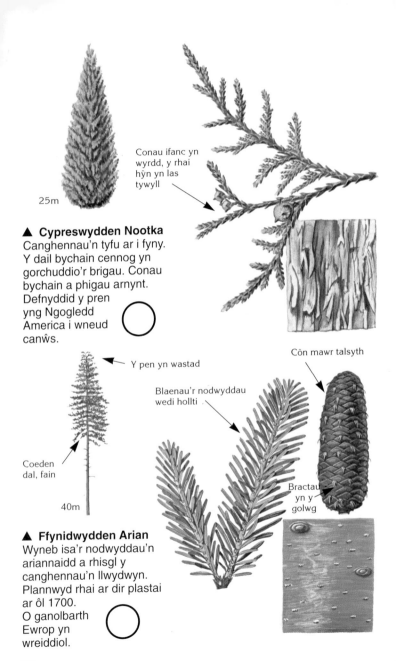

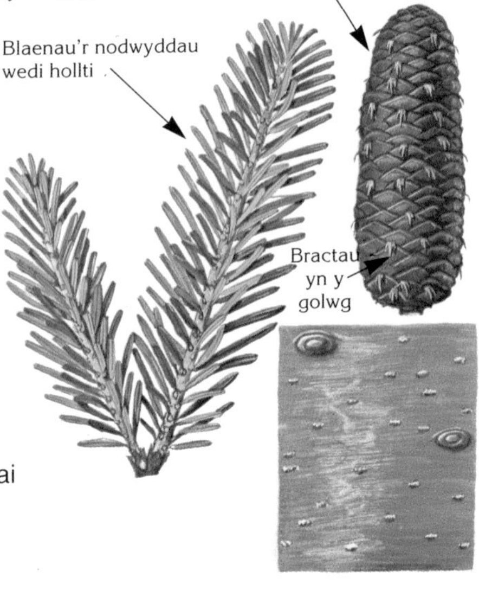

▲ Ffynidwydden Arian

Wyneb isa'r nodwyddau'n ariannaidd a rhisgl y canghennau'n llwydwyn. Plannwyd rhai ar dir plastai ar ôl 1700. O ganolbarth Ewrop yn wreiddiol.

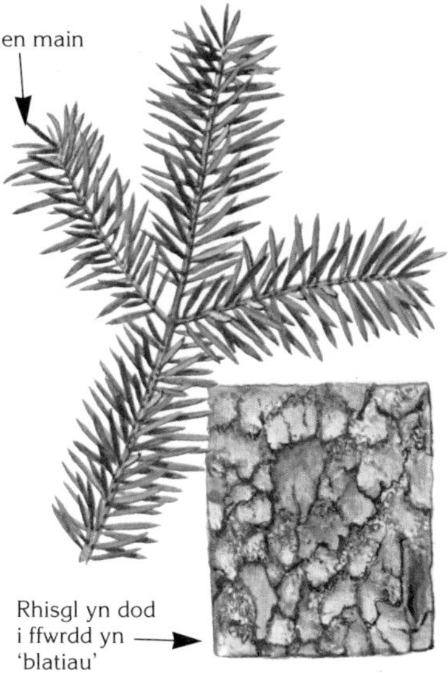

▲ Ffynidwydden Groeg
Wyneb isaf y nodwyddau sgleiniog pigog yn oleuach. Conau hir yn colli eu cennau gan adael coesynnau main ar y canghennau. Cyffredin mewn parciau. O fynyddoedd deheuol gwlad Groeg yn wreiddiol.

▲ Ffynidwydden Sbaen
Nodwyddau byr llwydlas yn tyfu'n drwchus ac yn amgylchynu'r brigyn. Conau silindraidd hir yn graddol chwalu wrth agor. Yn tyfu mewn gerddi yn unig ym Mhrydain. O dde Sbaen.

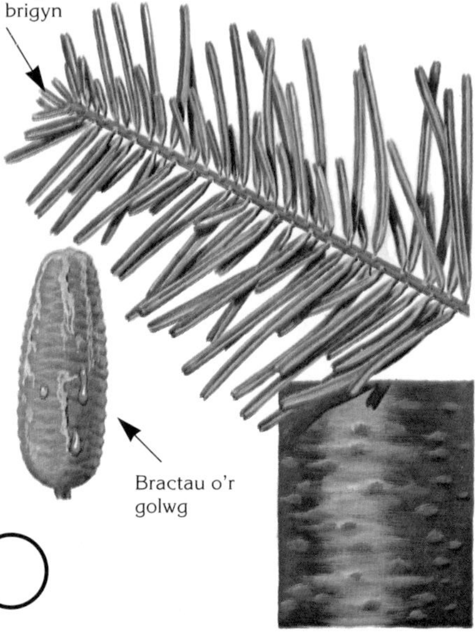

▲ Ffynidwydden Fawr
Nodwyddau gwyrdd tywyll sgleiniog ar ffurf dannedd crib. Fe'i plannwyd yn gyffredin gan y Comisiwn Coedwigaeth oherwydd gall dyfu'n gyflym iawn. O Ogledd America. ○

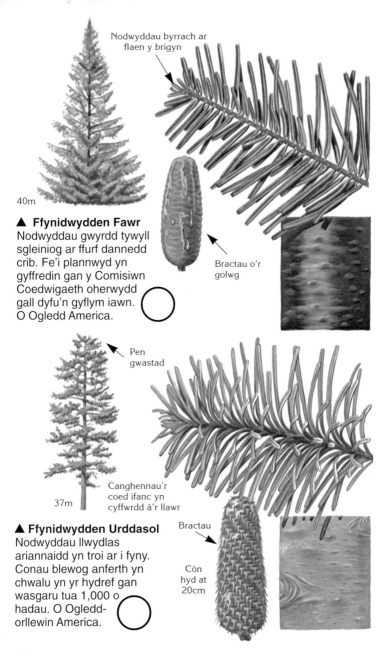

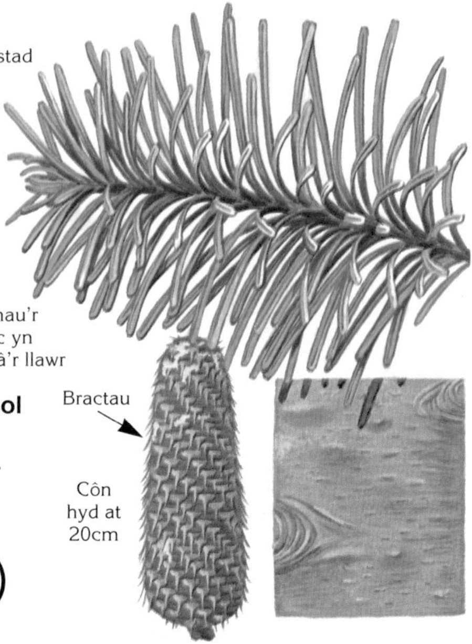

▲ Ffynidwydden Urddasol
Nodwyddau llwydlas ariannaidd yn troi ar i fyny. Conau blewog anferth yn chwalu yn yr hydref gan wasgaru tua 1,000 o hadau. O Ogledd-orllewin America. ○

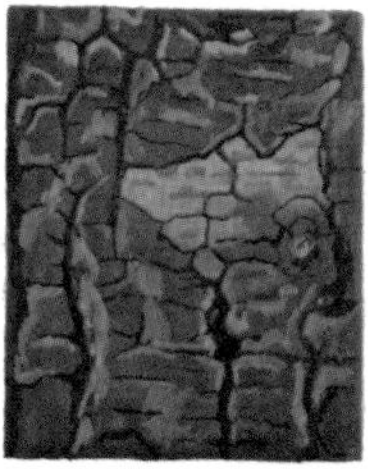

▲ Ffynidwydden Douglas
Nodwyddau meddal aroglus. Conau brown golau yn crogi o'r brigyn a thri bract hir ar bob cennyn. Yr hen risgl yn feddal a thrwchus fel corcyn. Plannwyd gan y Comisiwn Coedwigaeth. O Ogledd America.

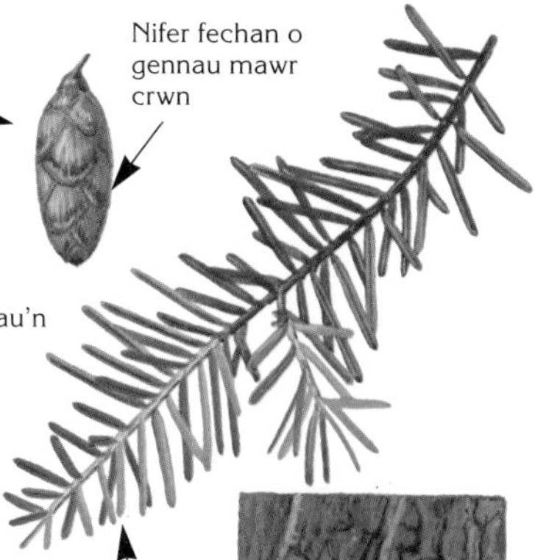

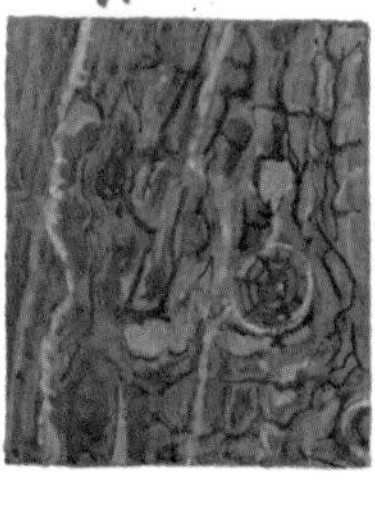

▲ Hemlog y Gorllewin
Nodwyddau o wahanol feintiau, yn wyrdd yr ochr uchaf a gwyn oddi tanynt. Conau bychain ar flaenau'r canghennau. Y brigyn uchaf a'r canghennau'n plygu ar i lawr. Yn tyfu'n dda yng nghoedwigoedd Cymru. O Ogledd America.

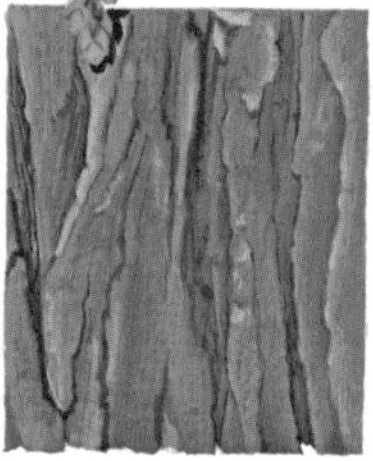

▲ Thwia Blethog
Dail bychain cennog yn gorchuddio'r brigau gwastad. Conau bychain agored. O Ogledd America lle arferid gwneud polion totem o'r boncyff. ○

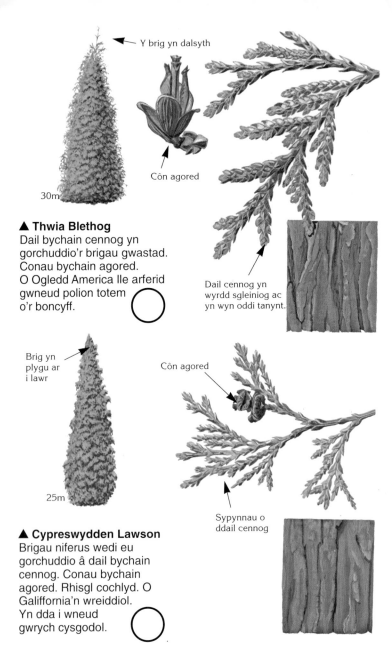

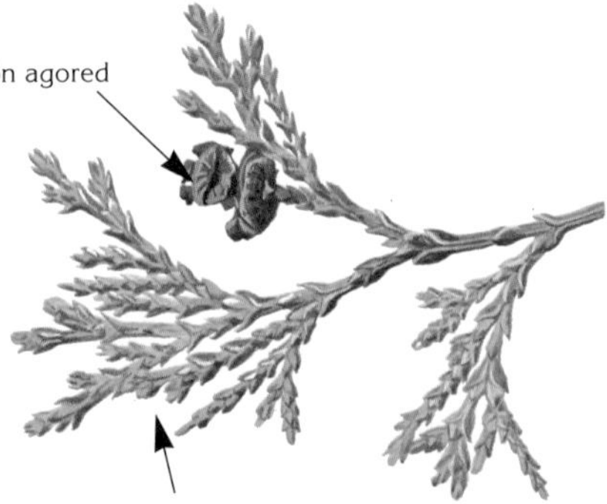

▲ Cypreswydden Lawson
Brigau niferus wedi eu gorchuddio â dail bychain cennog. Conau bychain agored. Rhisgl cochlyd. O Galiffornia'n wreiddiol. Yn dda i wneud gwrych cysgodol. ○

Côn sgleiniog, gwyrdd-
golau yn troi'n llwyd
wrth heneiddio

Dail mân cennog
ar frigau niferus

15m

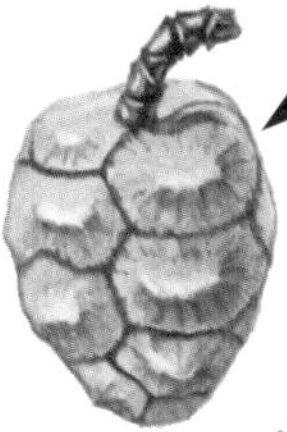

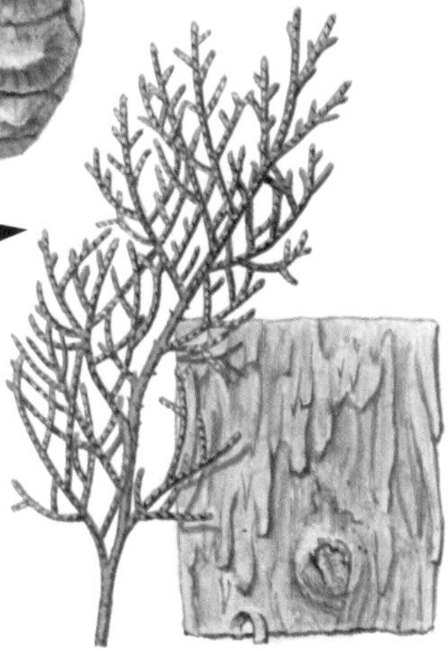

▲ **Cypreswydden Eidalaidd**
Dail mân tywyll, cennog wedi
eu gwasgu'n dynn ar fân frigau
niferus. Conau mawr crwn,
llwyd. Coeden dalsyth fain
a dyfir mewn gerddi.
O ardal Môr y
Canoldir.

Arogl lemwn wrth
wasgu'r dail

25m

Pigyn

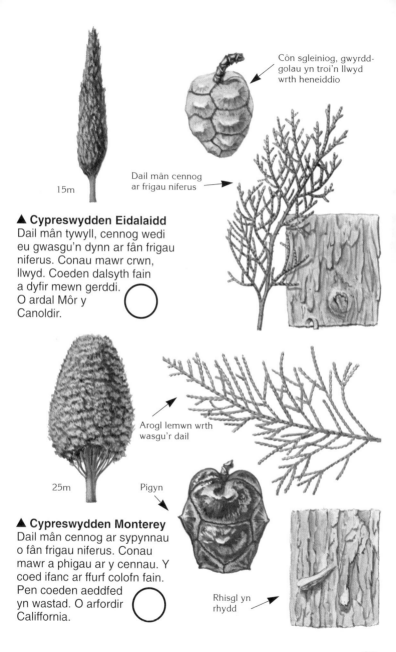

▲ **Cypreswydden Monterey**
Dail mân cennog ar sypynnau
o fân frigau niferus. Conau
mawr a phigau ar y cennau. Y
coed ifanc ar ffurf colofn fain.
Pen coeden aeddfed
yn wastad. O arfordir
Califfornia.

Rhisgl yn
rhydd

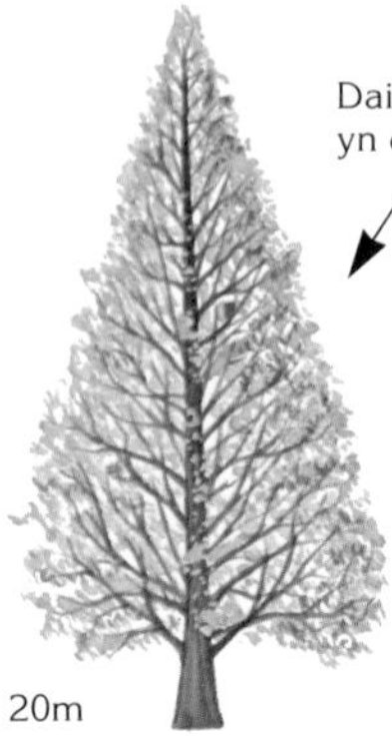

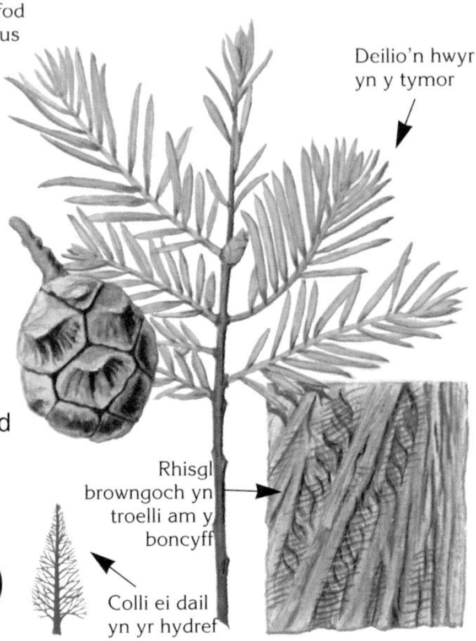

▲ Cochwydden Gollddail
Nodwyddau meddal, gwyrdd golau yn troi'n oren ac yn cwympo yn yr hydref. Y goeden ar ffurf triongl. O gorsydd dwyrain, Gogledd America'n wreiddiol.

◯

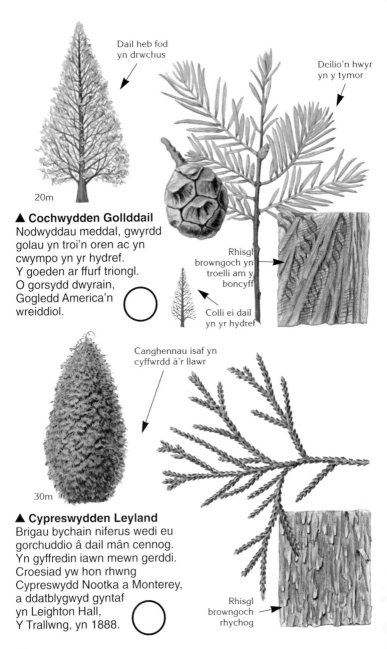

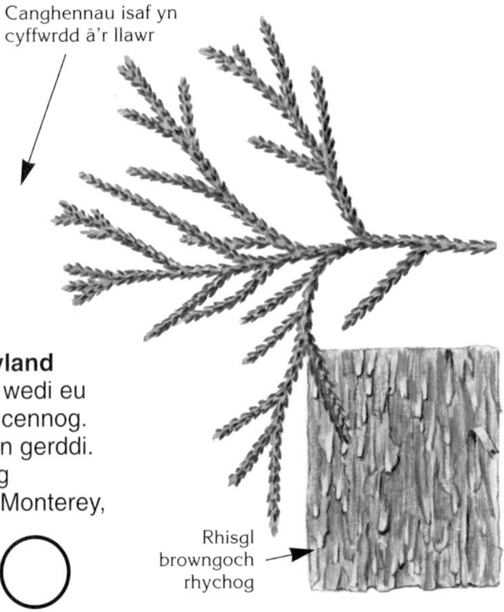

▲ Cypreswydden Leyland
Brigau bychain niferus wedi eu gorchuddio â dail mân cennog. Yn gyffredin iawn mewn gerddi. Croesiad yw hon rhwng Cypreswydd Nootka a Monterey, a ddatblygwyd gyntaf yn Leighton Hall, Y Trallwng, yn 1888.

◯

▲ Cochwydden Japaneaidd
Nodwyddau pigog yn cyfeirio at ymlaen. Rhisgl browngoch yn dod i ffwrdd yn stribedi hirion. Yn tyfu'n enfawr mewn rhai parciau yng Nghymru. Coeden sanctaidd yn Japan.

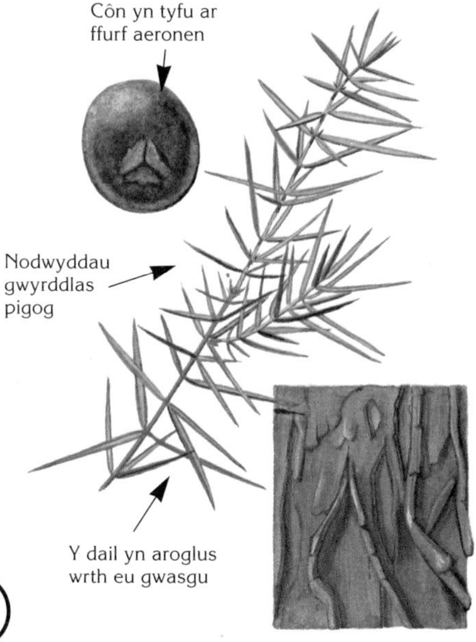

▲ Merywen
Conau ar ffurf aeron dulas. Yn tyfu fel llwyn, ond ceir un math arbennig yn Eryri—Merywen y Mynydd—sy'n tyfu'n wastad â'r llawr. Un o'r ychydig goed conwydd sy'n frodorol i Brydain.

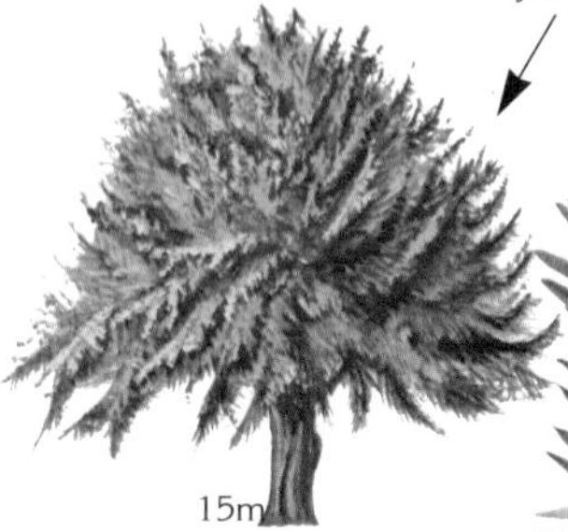

▲ Ywen
Nodwyddau llydan, gwyrdd tywyll. Aeron coch. Yn gyffredin mewn hen fynwentydd, lle ceir rhai ymhell dros 1,000 o flynyddoedd oed. Defnyddid y canghennau i wneud bwa saethu. ○

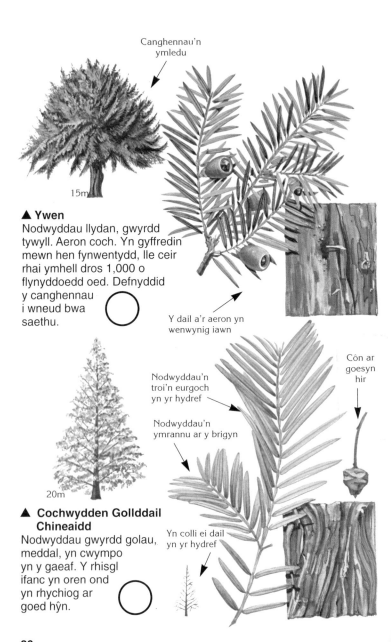

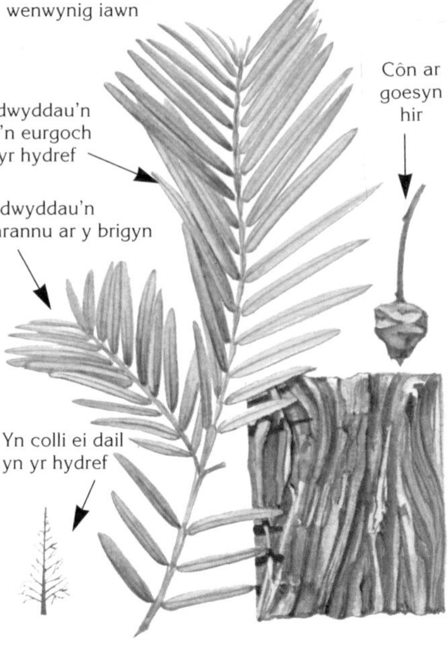

▲ Cochwydden Gollddail Chineaidd
Nodwyddau gwyrdd golau, meddal, yn cwympo yn y gaeaf. Y rhisgl ifanc yn oren ond yn rhychiog ar goed hŷn. ○

33m

▲ Cochwydden Arfor
Nodwyddau caled miniog. Conau bychain crynion. Rhisgl meddal trwchus. Yn tyfu'n anferth yng Nghaliffornia. Ceir rhai mewn parciau yng Nghymru. ○

38m

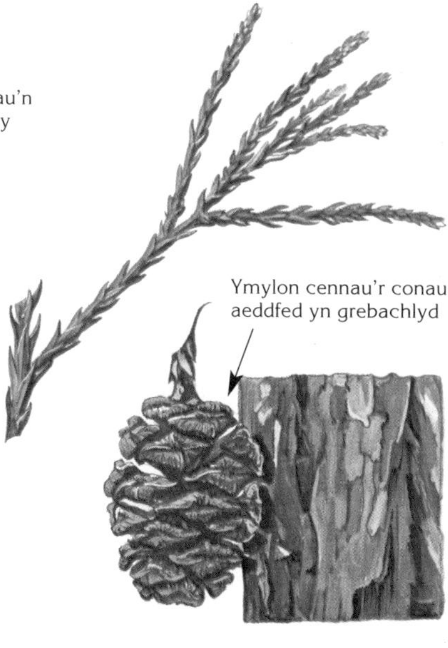

▲ Cochwydden Gawraidd
Y dail gwyrdd tywyll, cennog yn bigog. Rhisgl trwchus, meddal yn rhychiog. Pennau canghennau'r goeden dal hon yn troi ar i fyny. ○

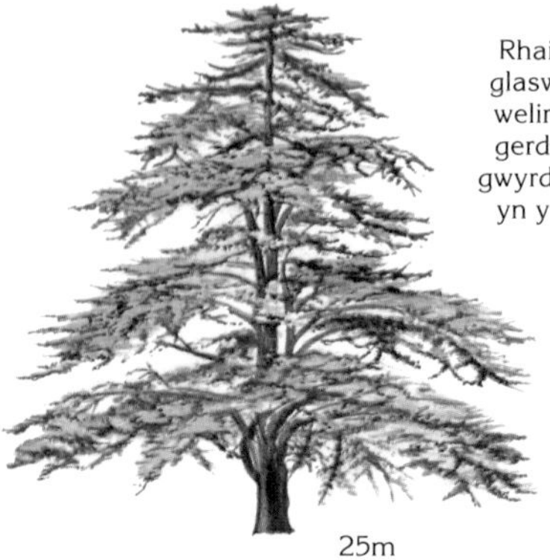

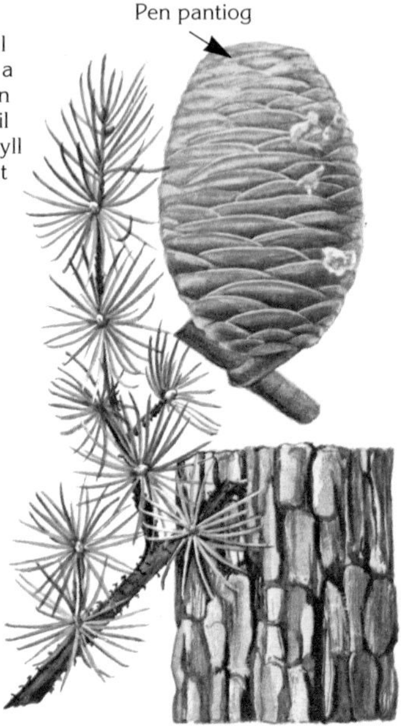

▲ Cedrwydden Atlas
Nodwyddau ar ffurf sypynnau. Conau mawr talsyth â phennau pantiog. Canghennau'n lledu ymhell. Coeden hardd iawn o fynyddoedd gogledd Affrica yn wreiddiol. ◯

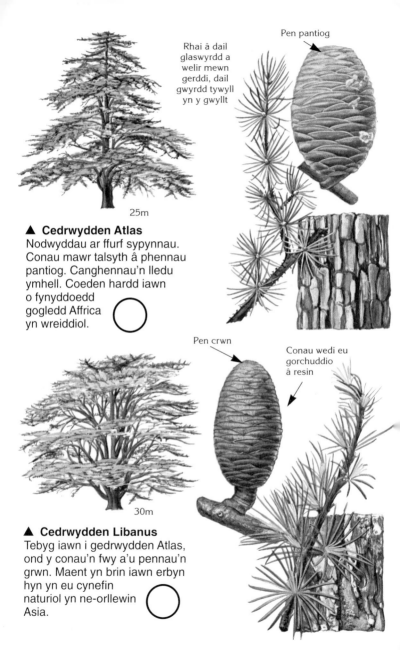

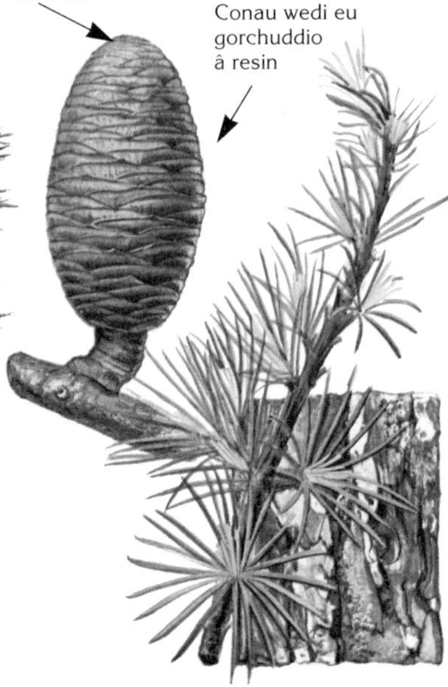

▲ Cedrwydden Libanus
Tebyg iawn i gedrwydden Atlas, ond y conau'n fwy a'u pennau'n grwn. Maent yn brin iawn erbyn hyn yn eu cynefin naturiol yn ne-orllewin Asia. ◯

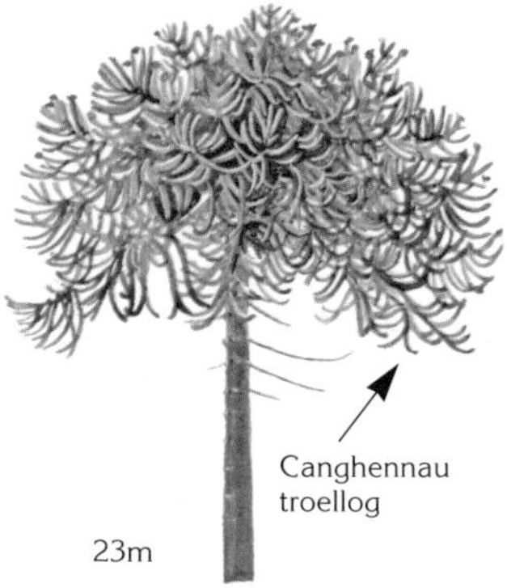

▲ Pinwydden Chile

Gelwir hefyd yn 'Cas gan fwnci'. Dail caled blaenllym yn amgylchynu'r sypyn trwchus o ganghennau hirfain. Pen llydan crwn ar foncyff tal. O'r Andes yn Ne America yn wreiddiol. ○

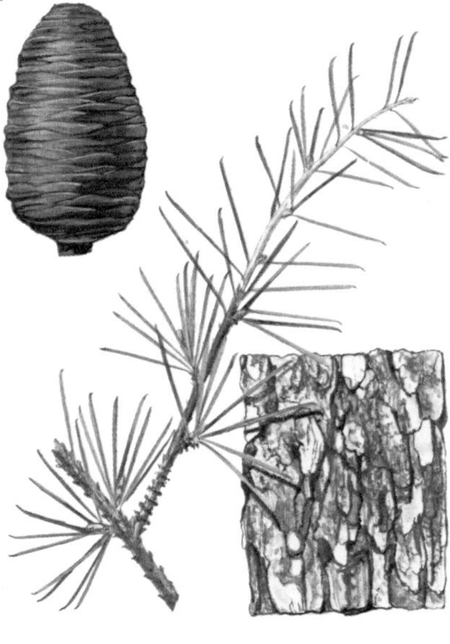

▲ Cedrwydden Deodar

Nodwyddau hirion meddal, gwyrdd golau. Conau mawr talsyth â'u pennau'n bantiog. Coeden dal, hardd iawn. O'r Himalaya yn wreiddiol. ○

Coed Llydanddail

▲ Derwen Goesog
Deilen ar ddeilgoes fer iawn ond coesyn hir i'r fesen. Pen llydan o ganghennau trwchus yn tyfu oddi ar foncyff byr. Yn cynnal llawer iawn o fywyd gwyllt.

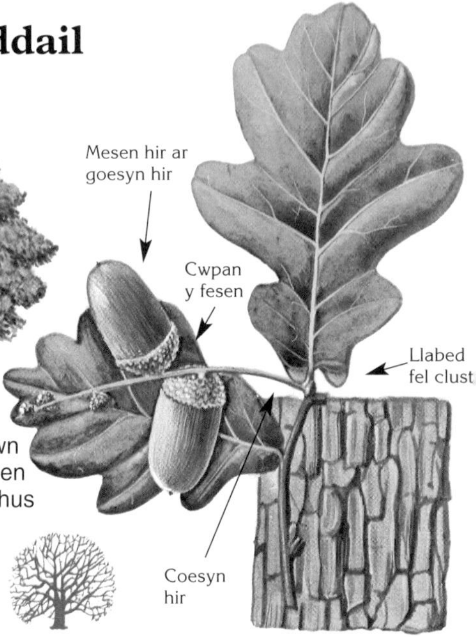

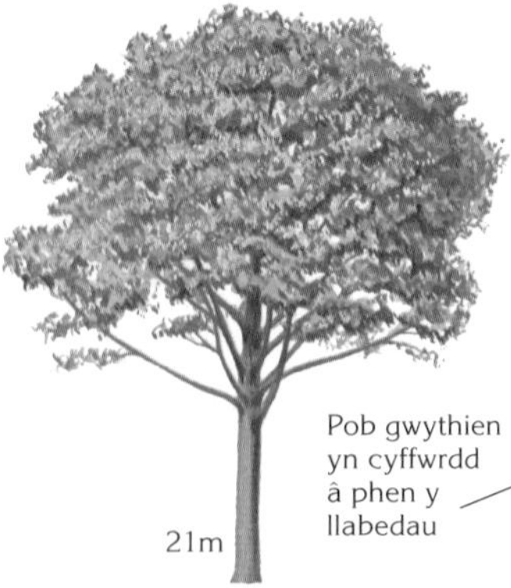

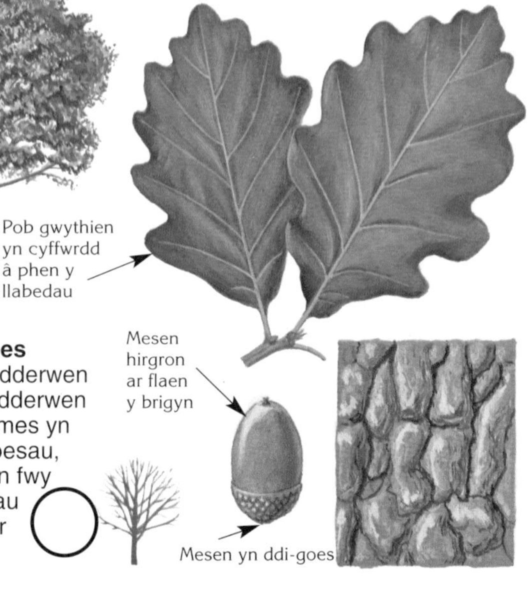

▲ Derwen Ddi-goes
Enw arall arni yw'r dderwen Gymreig. Tebyg i'r dderwen goesog ond bod y mes yn glwstwr tyn, heb goesau, ar flaen y brigyn. Yn fwy cyffredin ar y llethrau creigiog nag ar lawr y dyffryn.

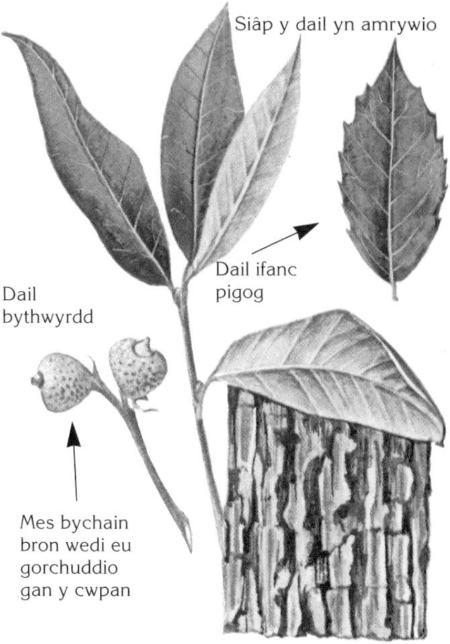

▲ Derwen Fythwyrdd
Dail sgleiniog bythwyrdd a phigau bychain fel dail celyn ar y rhai ifanc. Yn gyffredin iawn mewn gerddi. O dde Ewrop. ○

▲ Derwen Twrci
Dail â llabedau hirion. Y blagur a gwaelod y dail yn flewog a chwpanau'r mes wedi eu gorchuddio â blew byrdew. Cyffredin mewn parciau. O dde Ewrop. ○

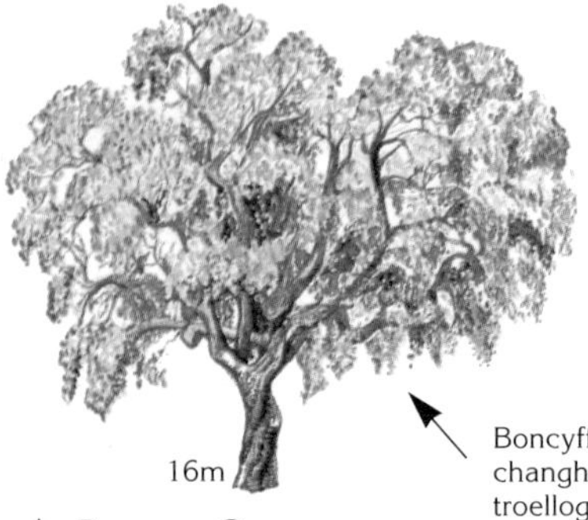

▲ Derwen Gorc

Dail sgleiniog bythwyrdd. O'r rhisgl trwchus meddal y daw'r cyrc ar gyfer poteli. Fe'i tyfir yn Sbaen a Phortiwgal. ◯

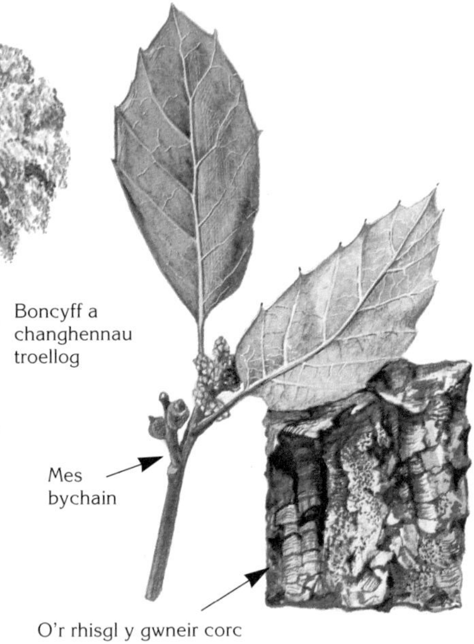

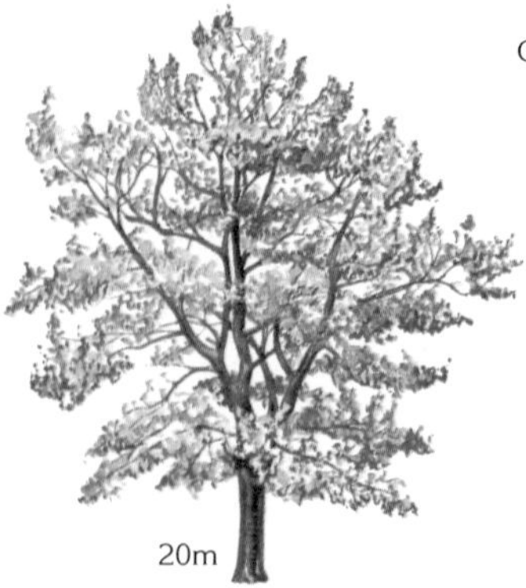

▲ Derwen Goch

Dail mawr yn troi'n goch yn yr hydref. Mes crynion yn aeddfedu yn yr ail flwyddyn. Rhisgl o liw arian. O Ogledd America. ◯

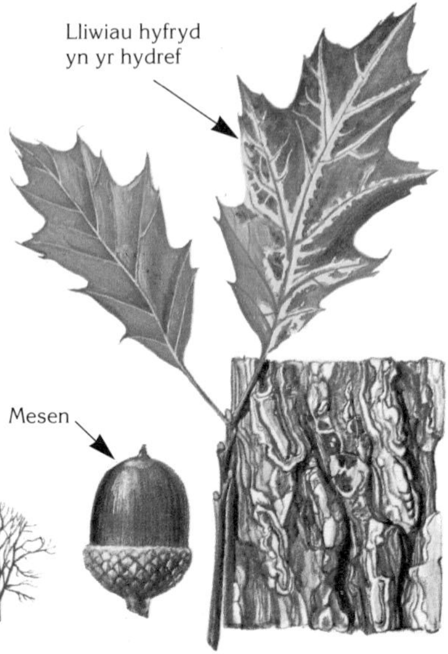

▲ Onnen

Deilen gyfansawdd o 9-13 o ddeilios llai. Blagur duon yn y gaeaf. Blodau porffor. Clystyrau o hadau adeiniog yn aros ymhell i'r gaeaf. Rhisgl llwyd golau.

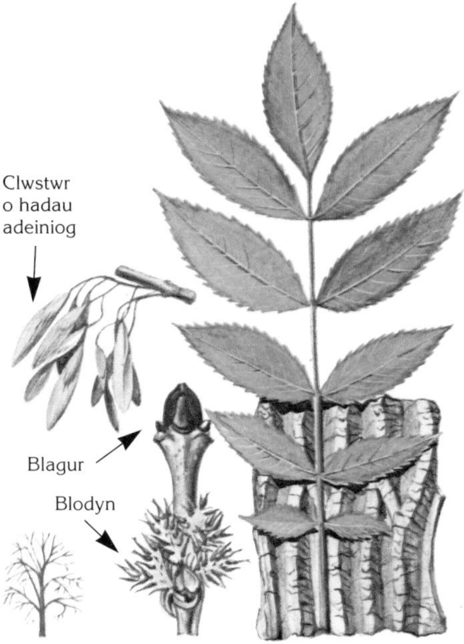

▲ Onnen Fanna

Dail cyfansawdd. Blodau gwynion hardd. Yn ne-ddwyrain Ewrop a de Asia ceir sudd gludiog melys 'manna' ohoni. Caiff ei phlannu mewn parciau dinesig.

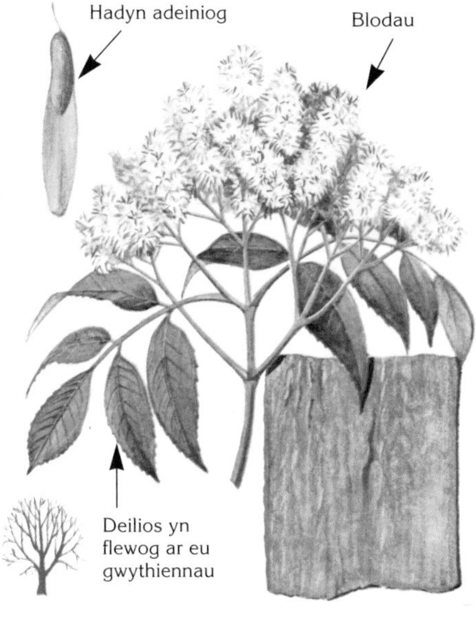

▲ Gwernen

Dail crwn yn cwympo'n hwyr yn yr hydref. Blodau fel cynffonnau ŵyn bach. Ffrwythau fel conau bychain, prennaidd. Bob amser yn tyfu ger dŵr.

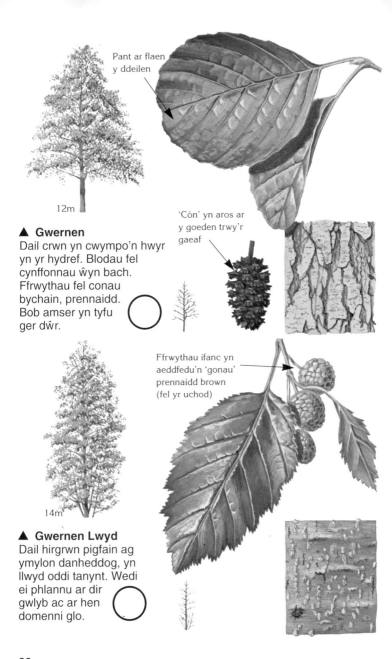

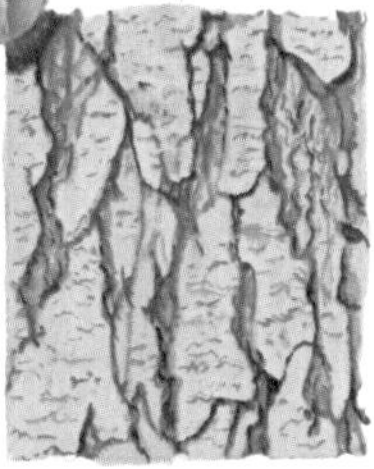

▲ Gwernen Lwyd

Dail hirgrwn pigfain ag ymylon danheddog, yn llwyd oddi tanynt. Wedi ei phlannu ar dir gwlyb ac ar hen domenni glo.

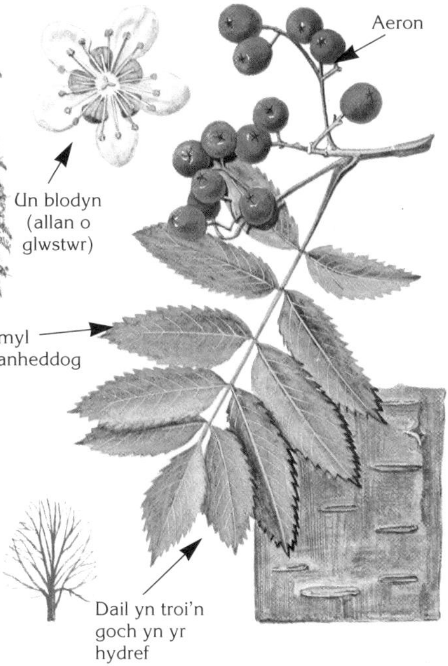

▲ Criafolen/Cerddinen
Dail cyfansawdd. Clystyrau o flodau gwyn ym mis Mai. Aeron cochion ddiwedd yr haf. Coeden fechan a welir yn aml yn tyfu ar fynydd. Arferid credu ei bod yn cadw gwrachod draw.

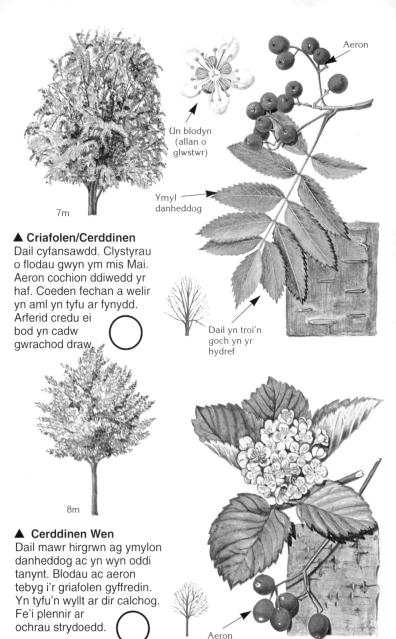

▲ Cerddinen Wen
Dail mawr hirgrwn ag ymylon danheddog ac yn wyn oddi tanynt. Blodau ac aeron tebyg i'r griafolen gyffredin. Yn tyfu'n wyllt ar dir calchog. Fe'i plennir ar ochrau strydoedd.

▲ Aethnen

Dail crwn ag ymylon tonnog sy'n crynu yn yr awel. Ffrwythau fel cynffonnau blewog, gwyn. Yn hoffi tir gwlyb.

▲ Poplysen Ddu Groesryw

Dail gwyrdd tywyll, trionglog. Ffrwythau fel cynffonnau cochion. Pen llydan sy'n plygu yn y gwynt. Hon yw'r boplysen fwyaf cyffredin yng Nghymru.

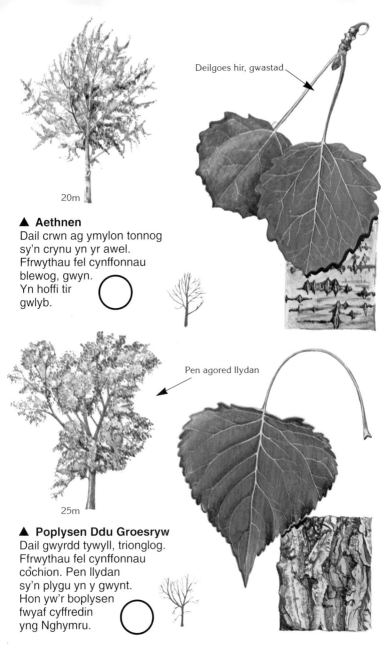

▲ Poplysen Wen

Dail fel eiddew ac yn wyn oddi tanynt. Brigau ifanc hefyd yn wyn. Y goeden yn aml yn gwyro i un ochr. Mewn gerddi yn unig.

▲ Poplysen Falm Orllewinol

Dail mawr trionglog yn wyn oddi tanynt. Blagur a dail ifanc gludiog. Cynffonnau ŵyn bach porffor, hir. Hadau blewog, gwyn.

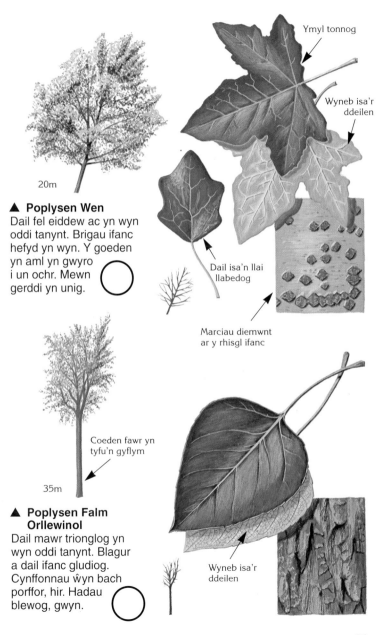

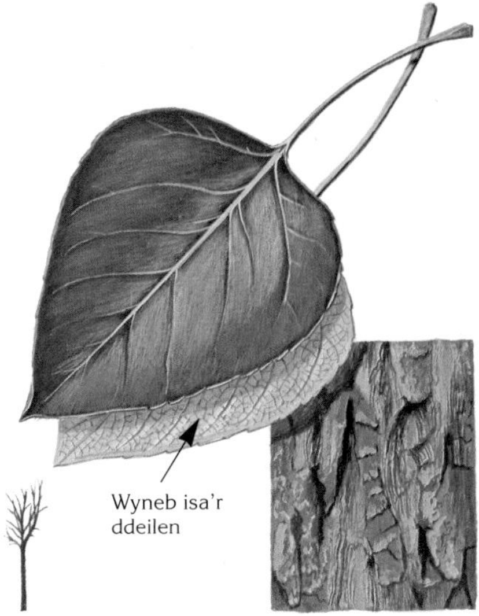

▲ Poplysen Lombardi
Coeden dal, fain â'i changhennau'n tyfu at i fyny. Math o boplysen ddu yw hon a ddaeth i'r wlad hon o'r Eidal yn 1758. Fe'i gwelir yn rhesi urddasol ar ochrau ffyrdd.

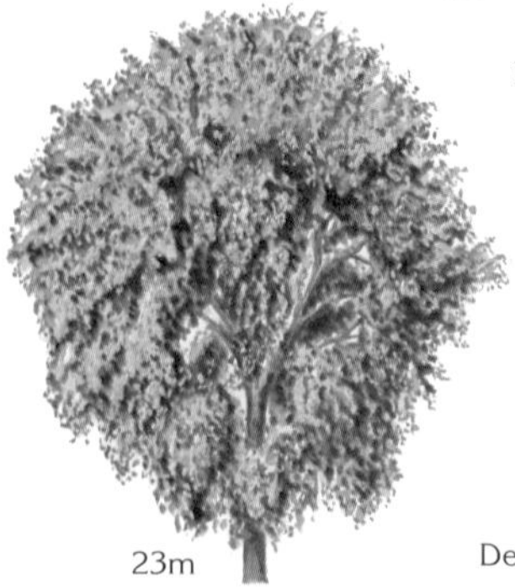

▲ Poplysen Lwyd
Croesiad rhwng y boplysen wen a'r aethnen ond yn tyfu'n llawer mwy na'r rheiny. Yn tyfu ar dir calchog fel arfer.

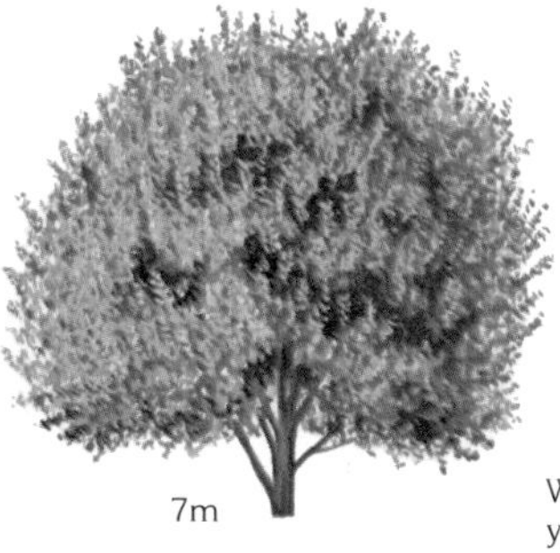

▲ Helygen

Dail llwydwyrdd. Blodau melyn ‘cywion gwyddau’ yn y gwanwyn. Coeden fechan, lydan yn tyfu ar dir gwlyb fel arfer. O’i dail a’i rhisgl y datblygwyd y cyffur Aspirin. ◯

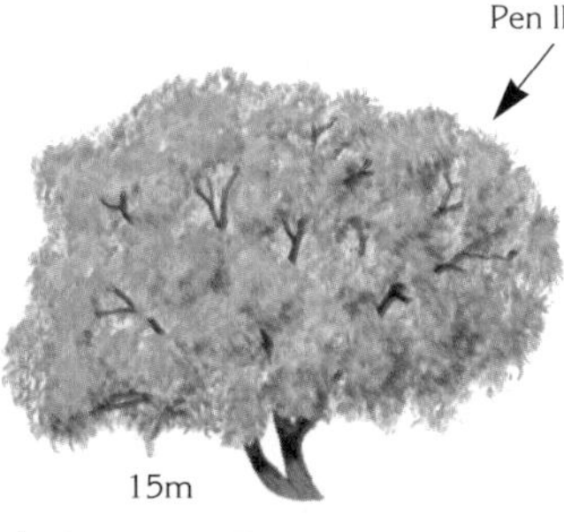

▲ Helygen Frau

Y dail yn oleuach oddi tanynt. Y canghennau a’r brigau’n yn frau ac yn torri’n hawdd. Yn tyfu ar lannau afonydd ar dir isel. ◯

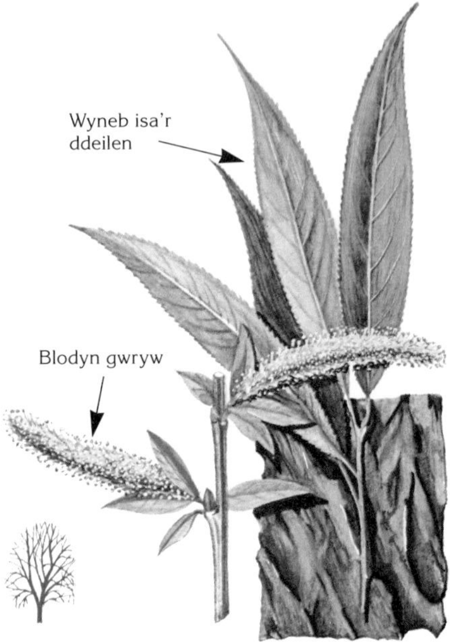

▲ Helygen Wen

Dail hirfain llwydlas, yn wyn oddi tanynt. Brigau a'u blaenau yn gwyro. Yn tyfu ar lannau afonydd. Y canghennau main yn ddefnyddiol fel gwiail i wneud basgedi.

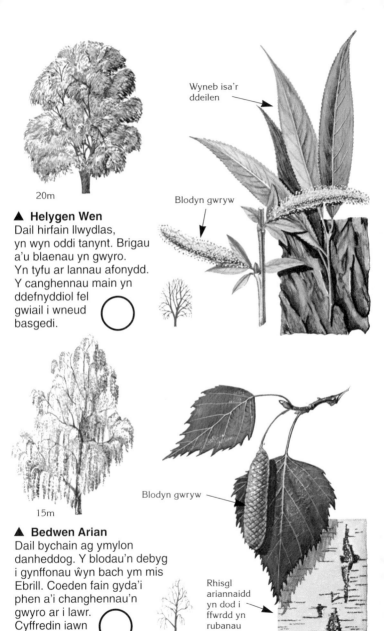

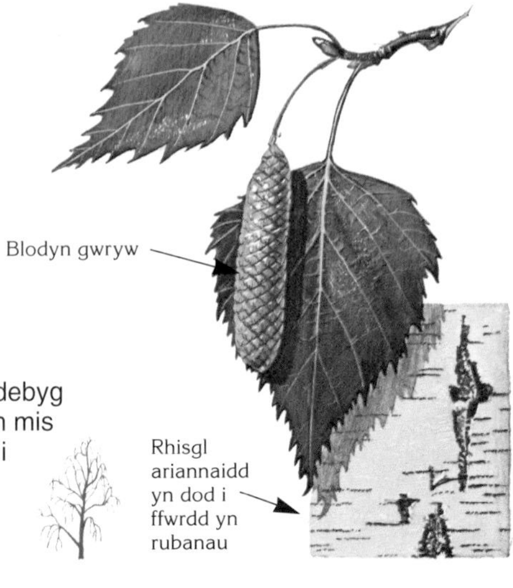

▲ Bedwen Arian

Dail bychain ag ymylon danheddog. Y blodau'n debyg i gynffonau ŵyn bach ym mis Ebrill. Coeden fain gyda'i phen a'i changhennau'n gwyro ar i lawr. Cyffredin iawn yng Nghymru.

▲ Ffawydden

Dail hirgrwn gwyrdd-golau yn troi'n frowngoch yn yr hydref. Cnau trionglog ond nid bob blwyddyn. Rhisgl llwyd llyfn.

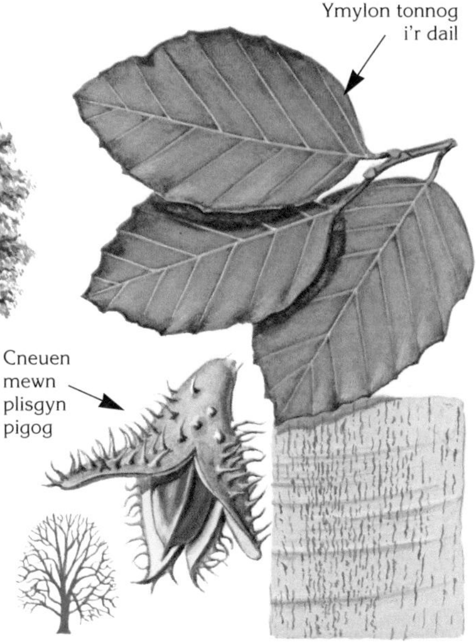

▲ Oestrwydden

Dail hirgrwn danheddog. Rhisgl llwyd llyfn ond tonnog. Pren caled iawn a ddefnyddir i wneud y morthwylion bach mewn piano.

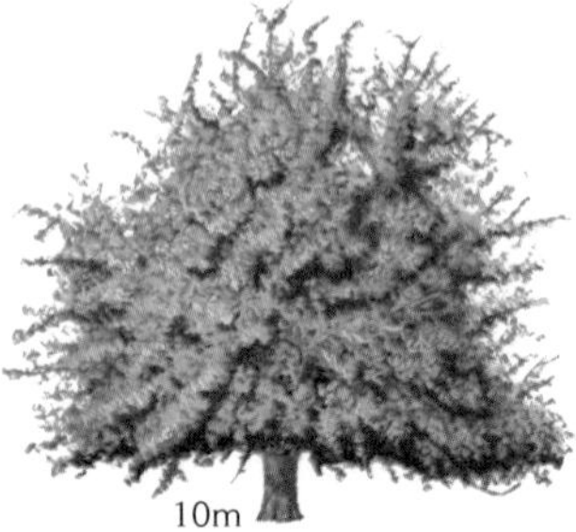

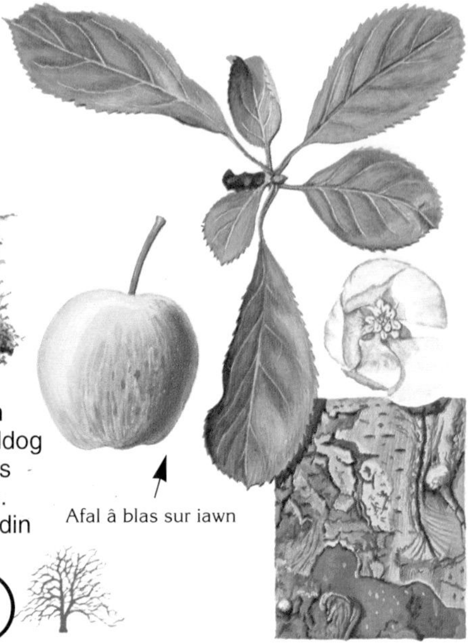

▲ Coeden Afalau Surion
Dail bychain crwn, danheddog a blodau pinc golau ym mis Mai. Afalau bychain surion. Coeden fechan sy'n gyffredin mewn hen wrychoedd. O hon y datblygwyd coeden afalau'r berllan.

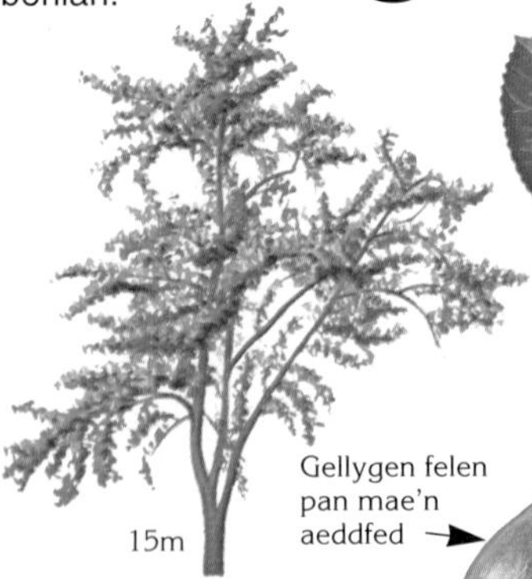

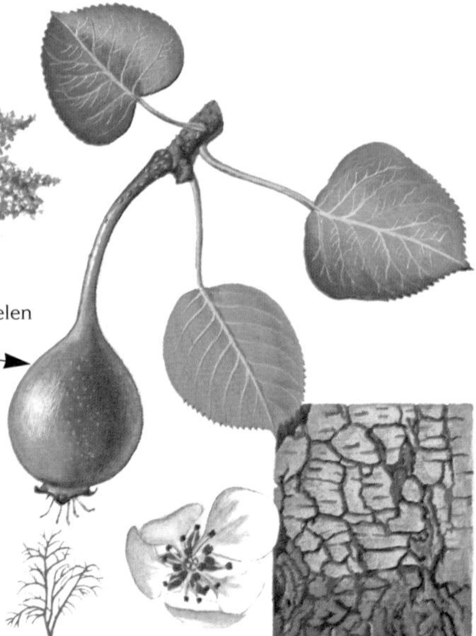

▲ Gellygen
Dail bychain hirgrwn, gwyrdd tywyll. Blodau gwyn yn Ebrill. Coeden fain a ffrwythau bychain caled. Weithiau i'w gweld mewn gwrychoedd.

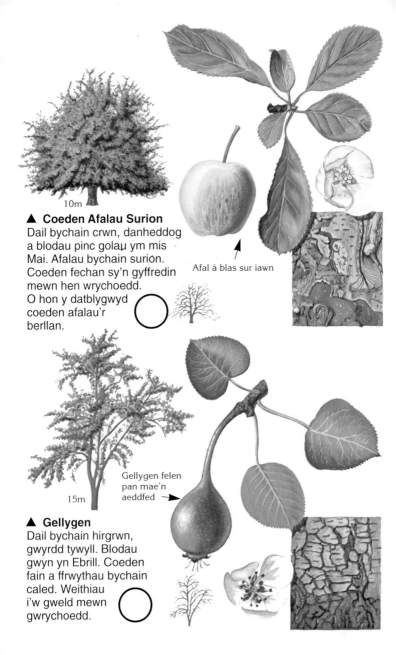

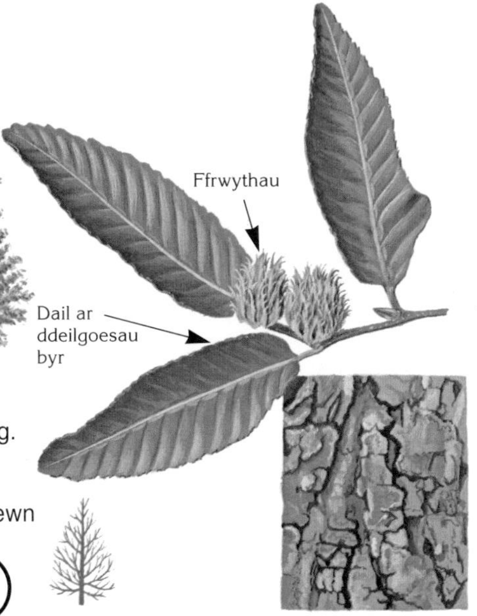

▲ Ffawydden Rauli

Dail hirion a ffrwythau pigog. Daeth o Chile yn wreiddiol ac fe'i plannwyd gan y Comisiwn Coedwigaeth mewn amryw o goedwigoedd yng Nghymru. Gall dyfu'n gyflym iawn.

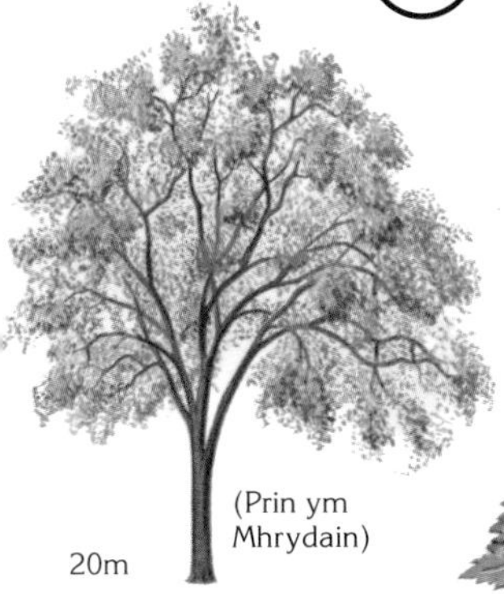

▲ Llwyfen Wen

Dail mawr hirgrwn, â'u gwaelod yn unochrog. Coeden dal, weddol agored ei phen. Prin iawn erbyn hyn oherwydd fe'i lladdwyd gan ffwng y clwy llwyfen.

▲ Planwydden Llundain
Cyffredin iawn mewn dinasoedd. Daw'r rhisgl ymaith yn blatiau gan ddatguddio rhisgl glân newydd. Ffrwythau crwn, pigog yn amlwg yn y gaeaf.

▲ Masarnen / Sycamorwydden
Dail mawr pum llabed. Ffrwythau adeiniog yn barau. Yn gyffredin iawn yng Nghymru mewn gwrychoedd ac yn gysgod i hen ffermdai.

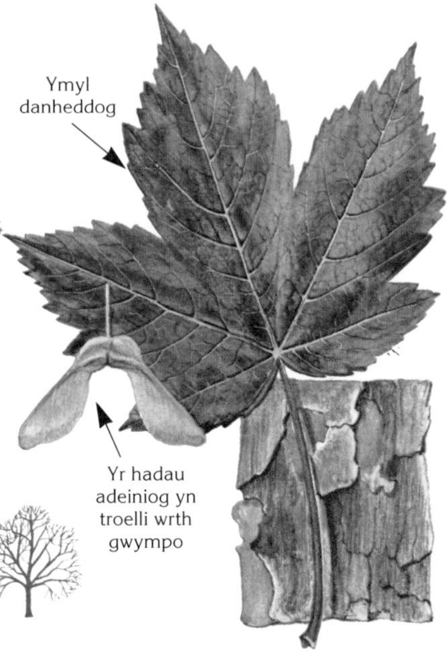

▲ Masarnen Norwy
Ceir amryw o wahanol fathau o'r goeden hon mewn gerddi a pharciau. Mae'n goeden hardd iawn pan fo'r dail yn ifanc yn y gwanwyn ac yn lliwgar iawn yn yr hydref.

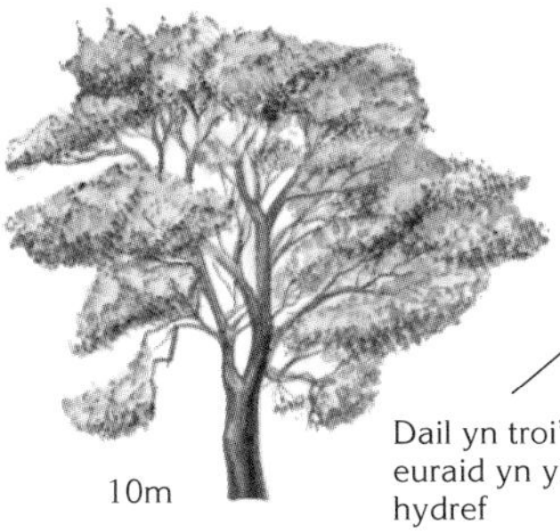

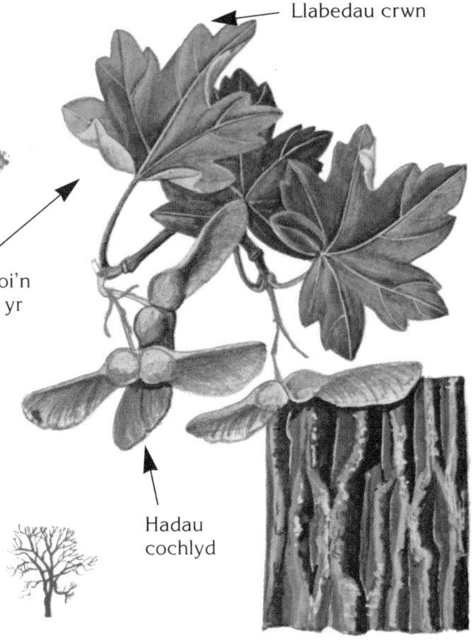

▲ Masarnen Fach
Dail bychain â llabedau crwn. Yn tyfu'n wyllt ym mhob sir yng Nghymru, ond yn fwyaf cyffredin ar diroedd calchog y de, yn enwedig yn y gwrychoedd.

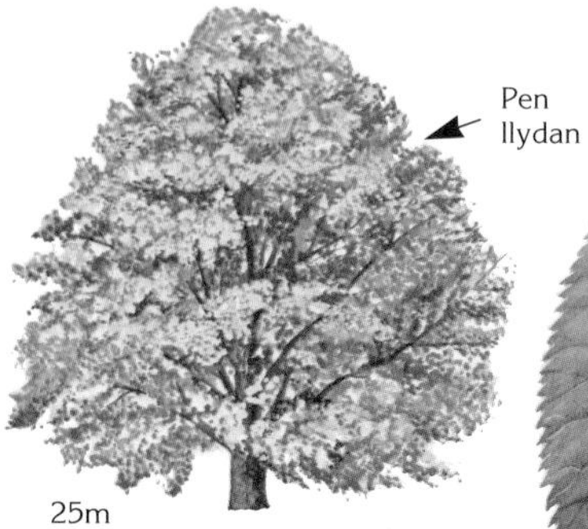

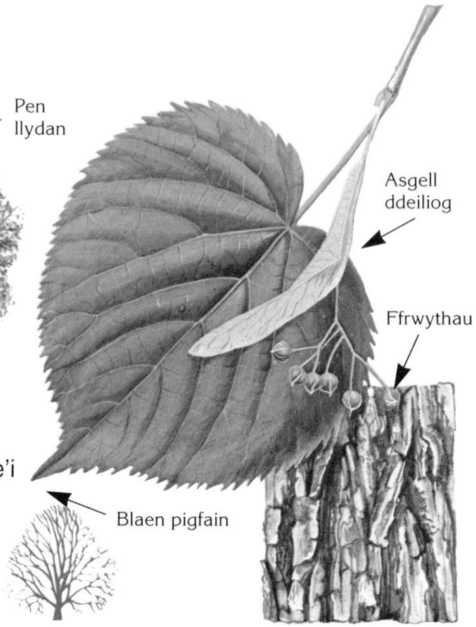

▲ Pisgwydden

Deilen siâp calon. Blodau melyn aroglus ganol haf. Fe'i ceir yn rhesi ar ochrau strydoedd ac ym mharciau dinasoedd. Hon yw'r goeden lydanddail dalaf ym Mhrydain.

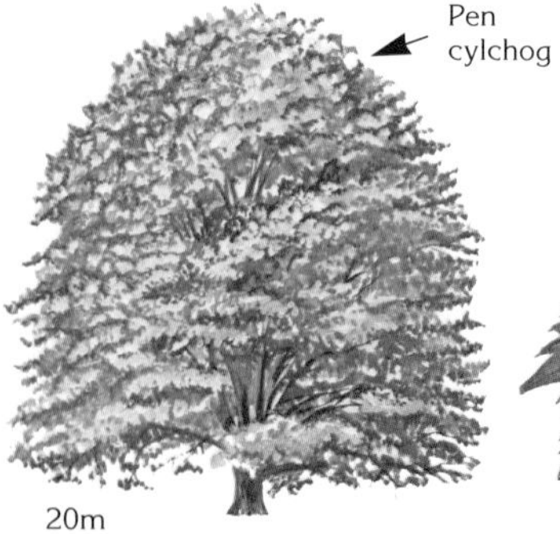

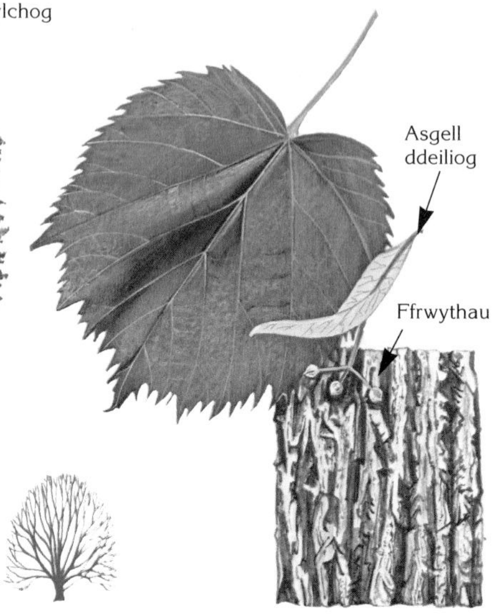

▲ Pisgwydden Arian

Tebyg iawn i'r bisgwydden gyffredin ond y dail yn wyn a blewog oddi tanynt. Fe'i ceir mewn rhai parciau dinesig. O dde Rwsia yn wreiddiol.

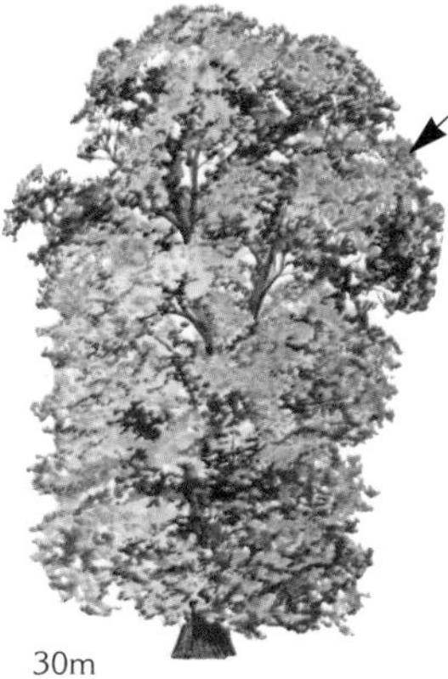

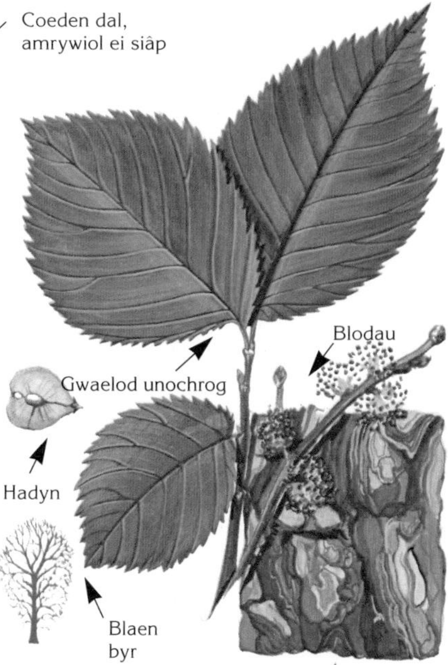

▲ Llwyfen

Arferai'r goeden dal hon fod yn gyffredin yn ne a chanolbarth Cymru ond fe'i lladdwyd gan afiechyd y clwy llwyfen yn y 1970au. Dim ond ychydig o goed ifanc sydd i'w gweld bellach.

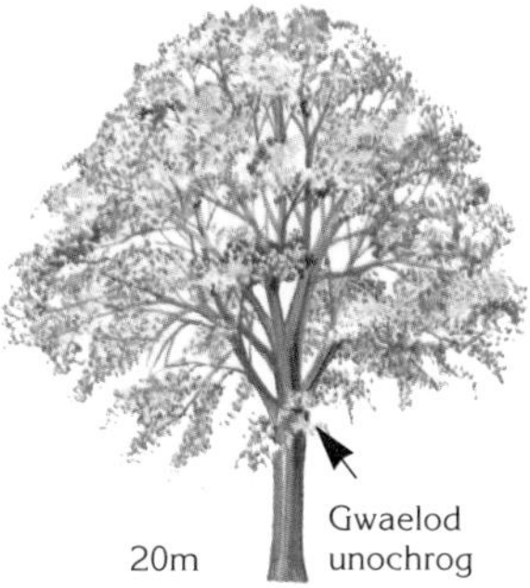

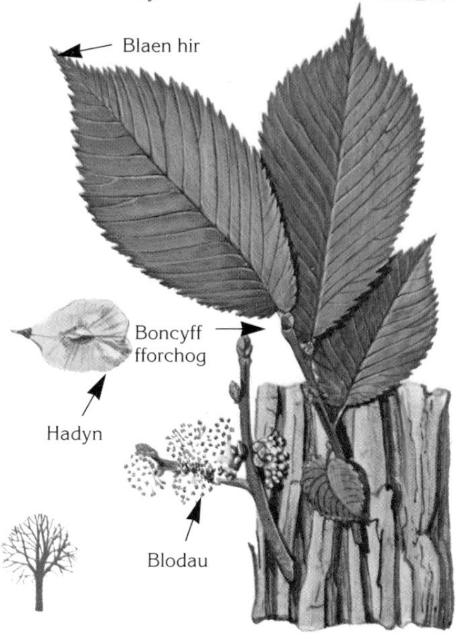

▲ Llwyfen Lydanddail

Yn dal i dyfu'n wyllt yn y rhan fwyaf o ddyffrynnoedd Cymru, ond yn prinhau'n raddol oherwydd y clwy llwyfen sy'n eu lladd.

▲ Castanwydden y Meirch

Dail cyfansawdd o 5-7 o ddeilios. Cannwyll o flodau gwyn hardd ym mis Mai. Yr hadau mawr brown yn dda i chwarae concyrs. Blagur mawr gludiog yn y gaeaf.

▲ Castanwydden Bêr

Dail hirion ag ymylon danheddog. Ffrwythau pigog yn cynnwys cnau bwytadwy, yn enwedig wedi eu rhostio. Rhisgl troellog, rhychiog.

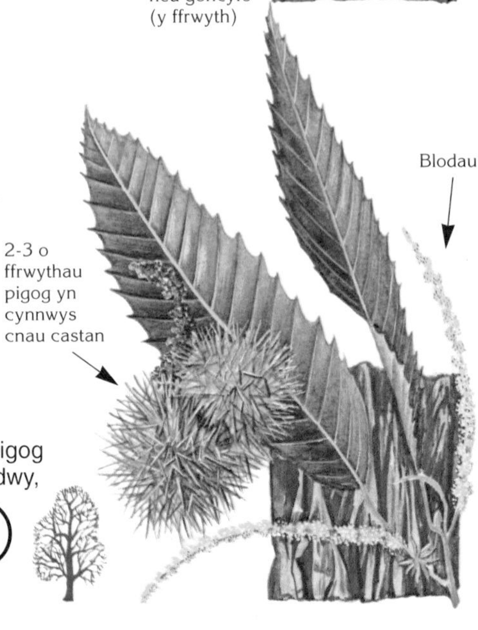

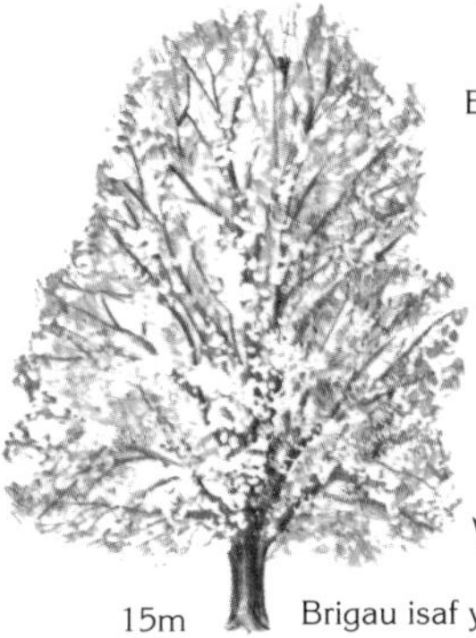

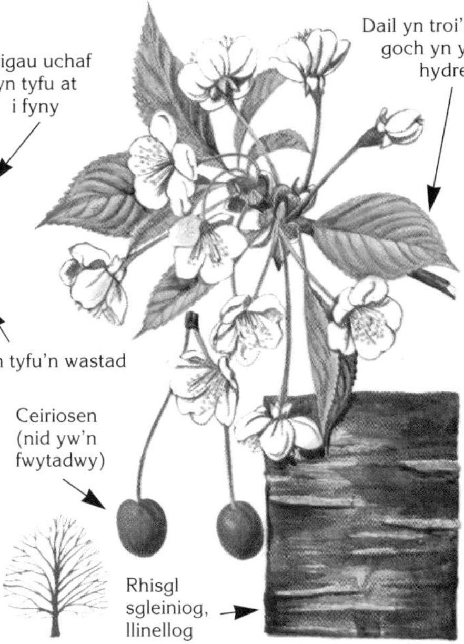

▲ Ceiriosen Wyllt
Dail mawr hirgrwn. Llawer o flodau gwynion hardd yn Ebrill. Ohoni y datblygwyd coed ceirios y gerddi gyda'u ffrwythau melys bwytadwy. Y pren yn dda i wneud dodrefn. ◯

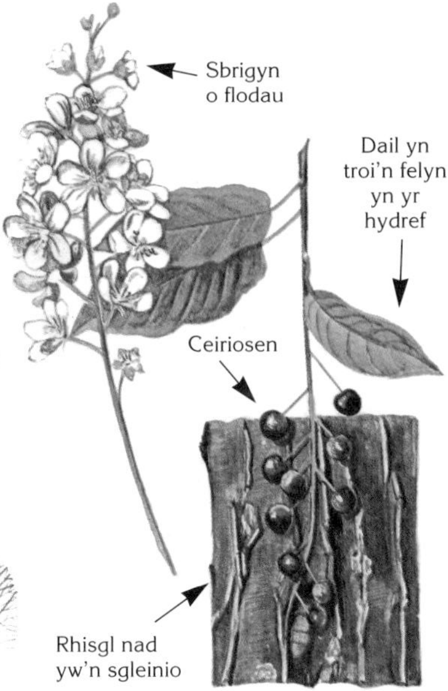

▲ Ceiriosen yr Adar
Coeden fach ond y blodau gwynion yn sioe werth chweil ym mis Mai. Ceirios bychain duon yn denu llawer o adar. ◯

▲ Morwydden

Coeden fechan a dyfir am ei ffrwythau yn ne Ewrop ac Asia. Y dail danheddog, siâp calon yn fwyd i lindys y gwyfyn silc. Prin ym Mhrydain.

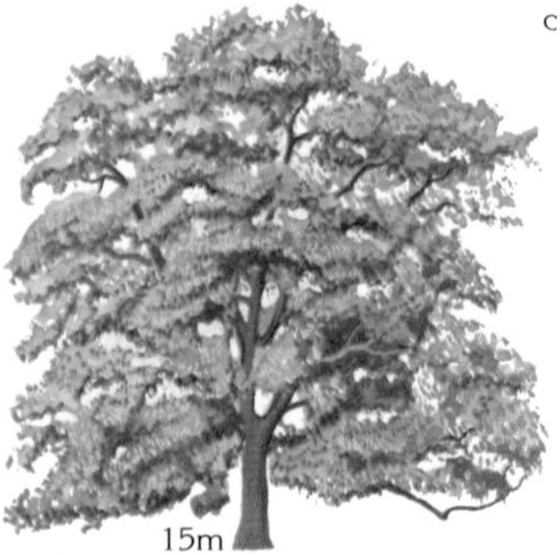

▲ Coeden Gnau Ffrengig

Dail cyfansawdd. Fe'i ceir mewn rhai hen erddi. Cnau bwytadwy. Rhisgl llwyd ac ynddo graciau amlwg.
O dde Ewrop yn wreiddiol.

▲ Ffug-acasia
Dail cyfansawdd. Clystyrau o flodau gwynion, tebyg i flodau pys, sy'n troi'n godau hadau tywyll. O ogledd America yn wreiddiol.

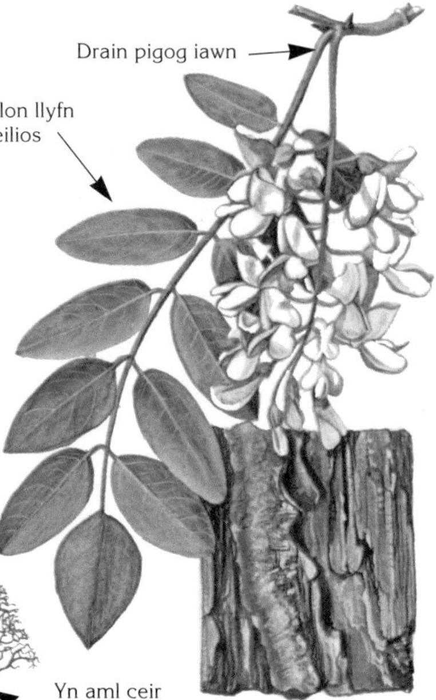

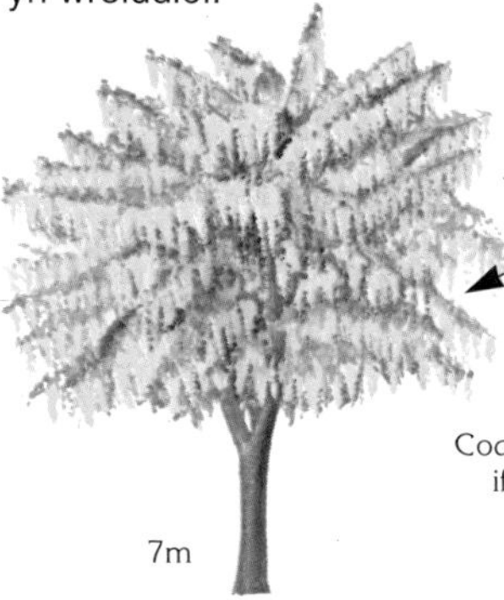

▲ Tresi Aur
Cadwyni o flodau melyn hardd fel blodau'r eithin. Ewch i Erddi Bodnant yn Nyffryn Conwy i weld arddangosfa fyd-enwog ohonynt ddechrau'r haf. Yr hadau duon yn wenwynig iawn.

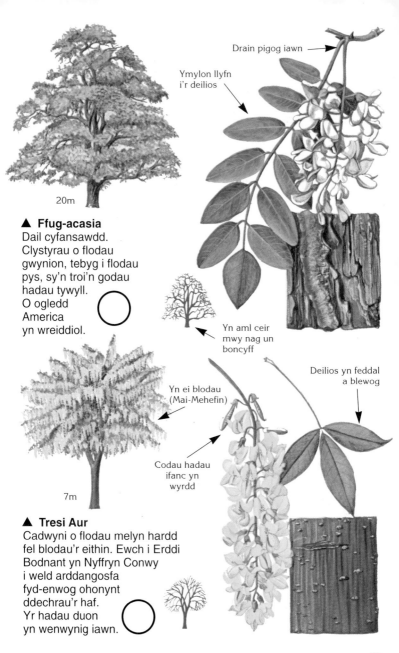

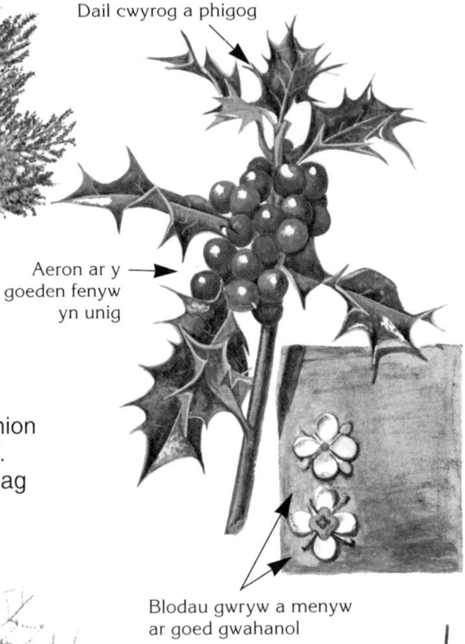

▲ Celynnen
Dail sgleiniog, pigog, bythwyrdd. Yr aeron cochion yn fwyd i adar yn y gaeaf. Defnyddir y canghennau ag aeron fel addurn mewn tai dros y Nadolig. ◯

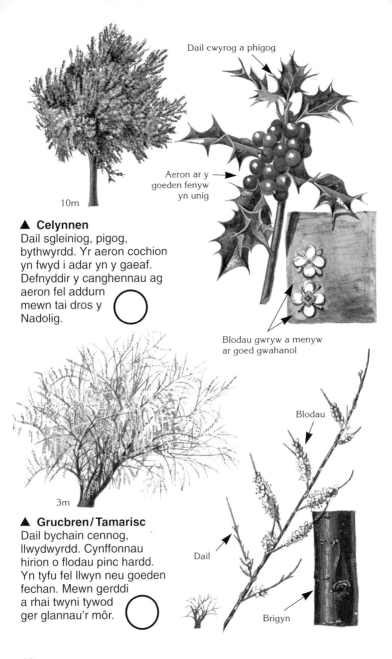

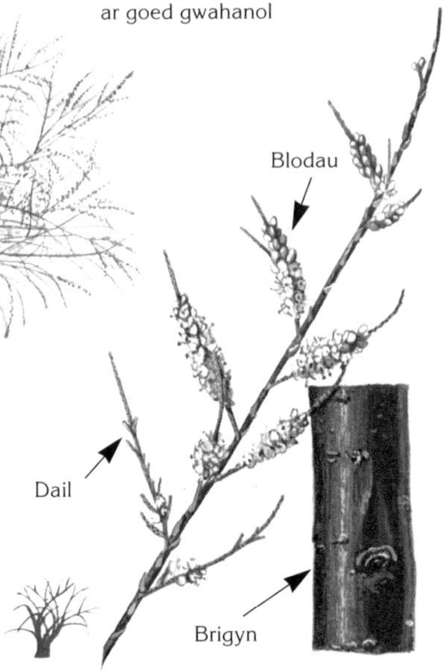

▲ Grucbren/Tamarisc
Dail bychain cennog, llwydwyrdd. Cynffonnau hirion o flodau pinc hardd. Yn tyfu fel llwyn neu goeden fechan. Mewn gerddi a rhai twyni tywod ger glannau'r môr. ◯

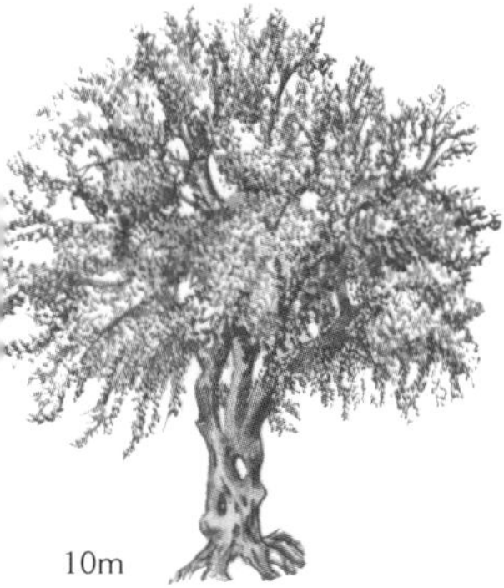

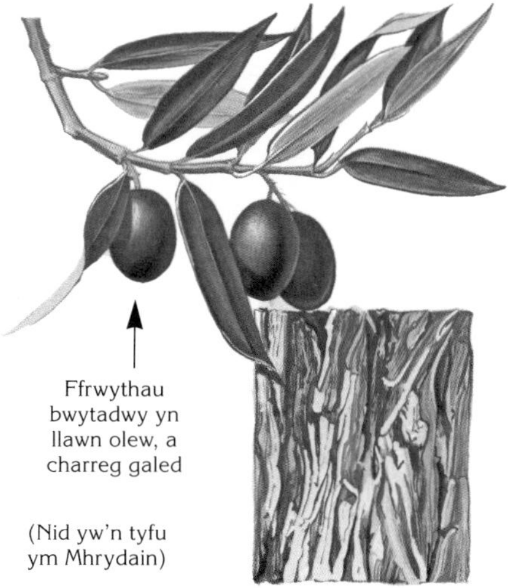

▲ Olewydden

Dail hirfain bythwyrdd. Y ffrwythau bwytadwy yn wyrdd cyn troi'n ddu. Ar ôl iddynt aeddfedu caiff y ffrwythau eu gwasgu i gael olew ar gyfer coginio.

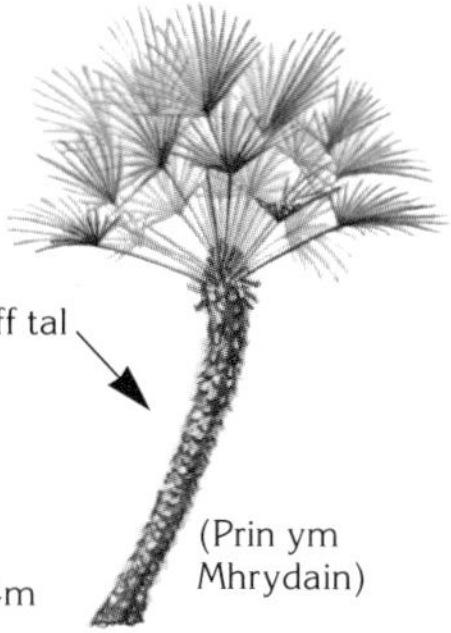

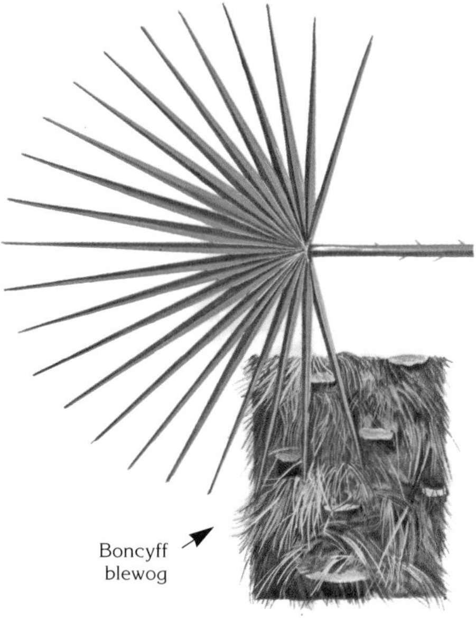

▲ Palmwydden Wyntyll

Yr unig balmwydden sy'n frodorol i Ewrop. Fe'i gwelir yn tyfu mewn ambell ardd gysgodol ger y môr.

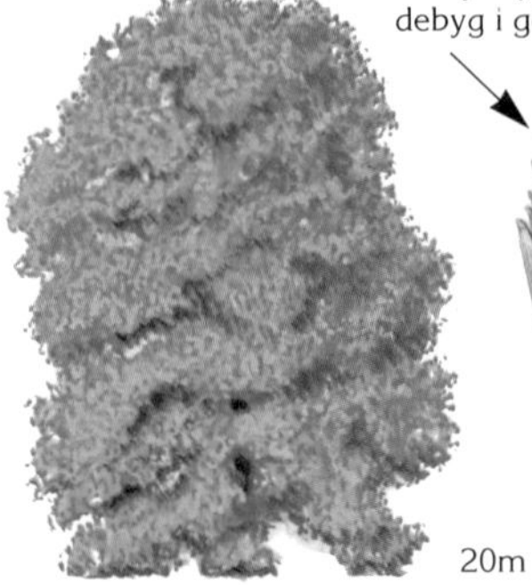

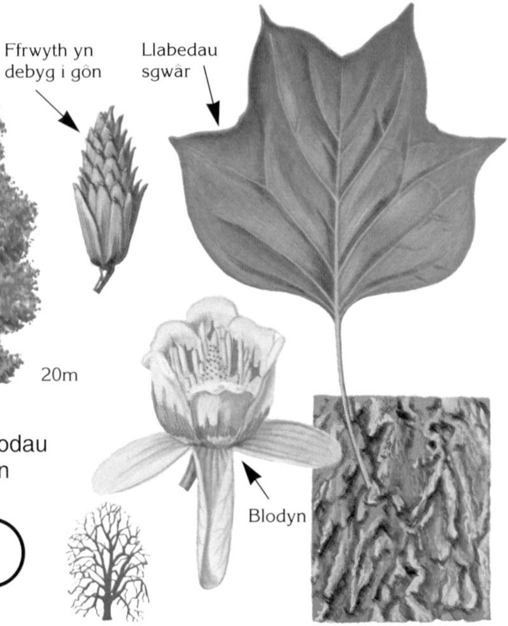

▲ Coeden Diwlip

Coeden dal ac iddi flodau mawr hardd. Y dail yn lliw aur yn yr hydref. Mae'r ffrwythau ar ffurf conau talsyth, brown.

▲ Coeden Ginco

Cafwyd ffosilau'r goeden ginco mewn haenau glo 250 miliwn o flynyddoedd oed. Mae'r dail ar ffurf gwyntyll wedi'i hollti. O China yn wreiddiol.

Llwyni

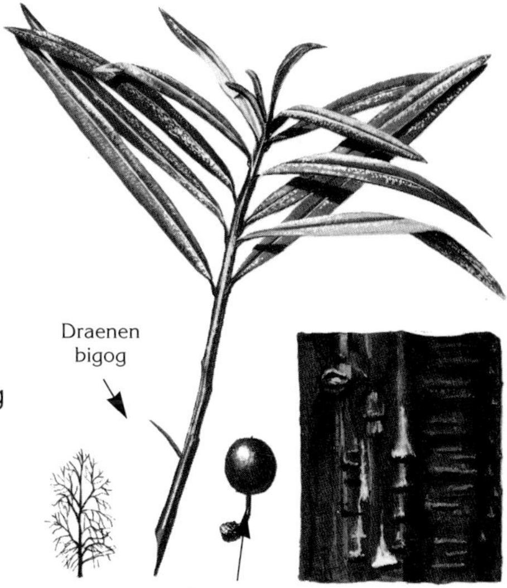

▲ **Rhafnwydden y Môr**
Dail hirfain. Y brigau'n bigog iawn. Aeron oren. Yn tyfu'n llwyni trwchus yn y twyni tywod ger y môr. ◯

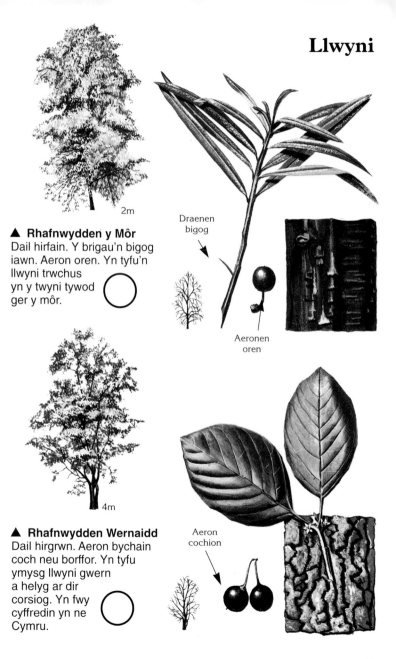

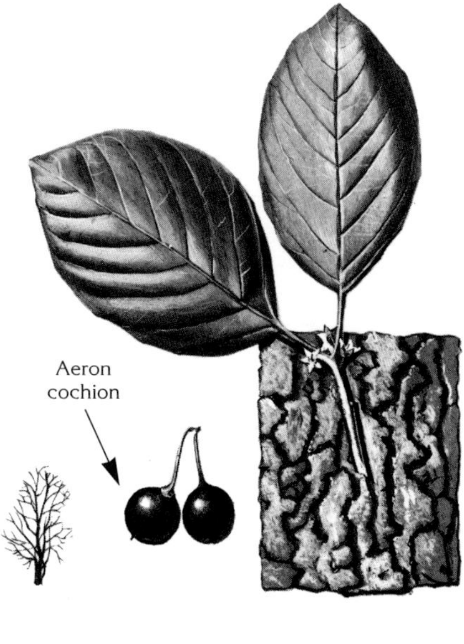

▲ **Rhafnwydden Wernaidd**
Dail hirgrwn. Aeron bychain coch neu borffor. Yn tyfu ymysg llwyni gwern a helyg ar dir corsiog. Yn fwy cyffredin yn ne Cymru. ◯

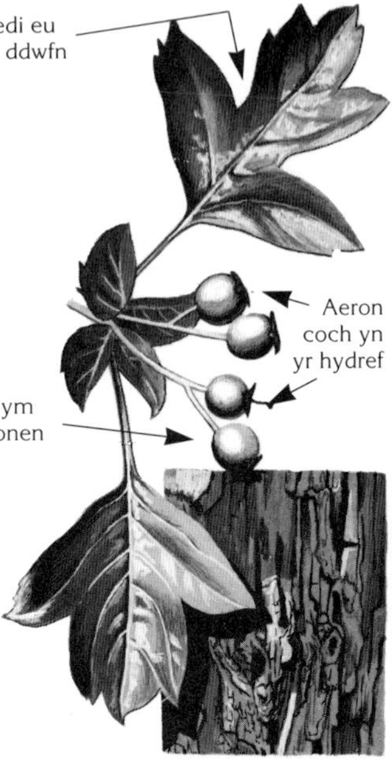

▲ Draenen Wen
Os oedd gweld blodau'r ddraenen ddu ym Mawrth yn arwydd i'r ffermwr hau ceirch, roedd blodau'r ddraenen wen ym Mai yn arwydd iddo hau ei haidd. Yr aeron coch yn dda iawn i adar yn y gaeaf. Cyffredin mewn gwrychoedd.

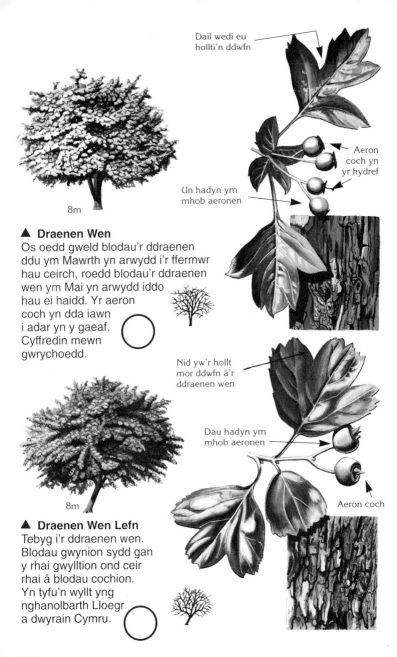

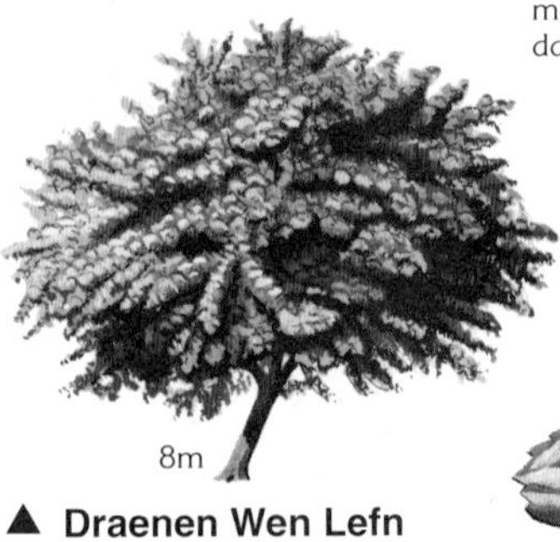

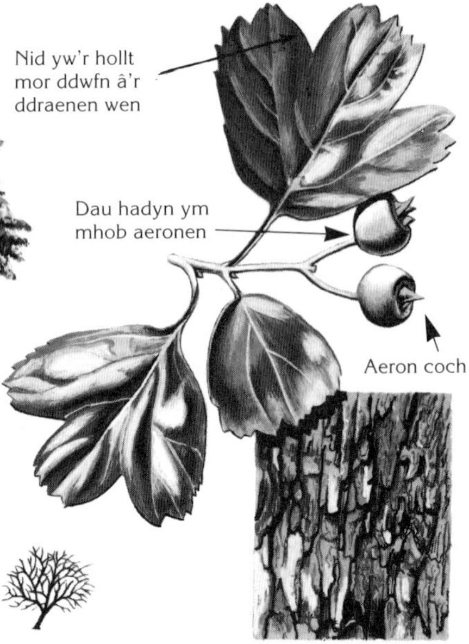

▲ Draenen Wen Lefn
Tebyg i'r ddraenen wen. Blodau gwynion sydd gan y rhai gwylltion ond ceir rhai â blodau cochion. Yn tyfu'n wyllt yng nghanolbarth Lloegr a dwyrain Cymru.

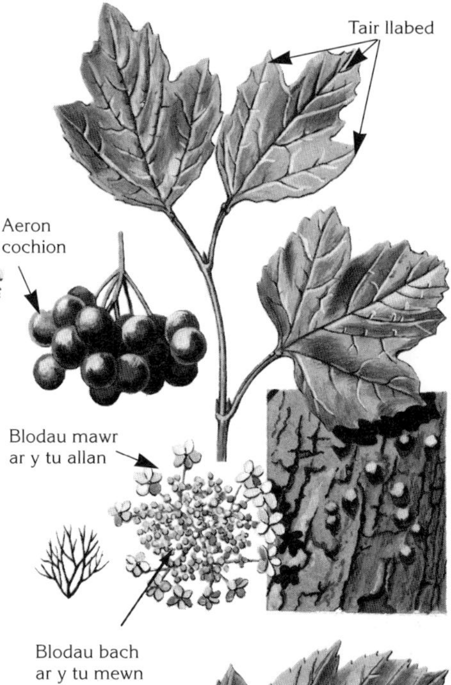

▲ Corswigen

Dail 3-5 llabed yn troi'n frowngoch yn yr hydref. Clystyrau o flodau gwynion, rhai mawr ar y tu allan a rhai bach y tu mewn.

▲ Cerddinen Wyllt

Coeden brin sy'n tyfu mewn ambell hen goedlan ar dir calchog. Arferid gwneud ffisig at boen yn y bol o'r criafol browngoch.

Adnabod Blagur y Gaeaf

Yn y gaeaf mae'n bosib adnabod coed llydanddail o'u blagur.

Derwen Goesog
Clystyrau o flagur brown ar frigau garw.

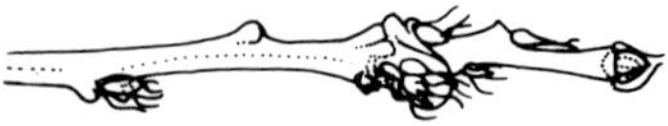

Derwen Twrci
Clystyrau o flagur bychain brown, blewog.

Derwen Goch
Clystyrau o flagur browngoch ar frigyn llwydwyrdd. Blagur mawr ar y blaen.

Onnen
Blagur mawr duon ar frigyn llwyd.

Gwernen
Cynffonnau bach porffor, sef y blodau heb agor.

Criafolen
Y blaguryn blaen yn fawr, ac yn flewog dywyll.

Poplysen Wen
Blagur bychain oren wedi eu gorchuddio â blew mân gwyn ar frigyn gwyrdd.

Helygen Wen
Blagur main yn gorwedd yn dynn ar frigyn brown-binc.

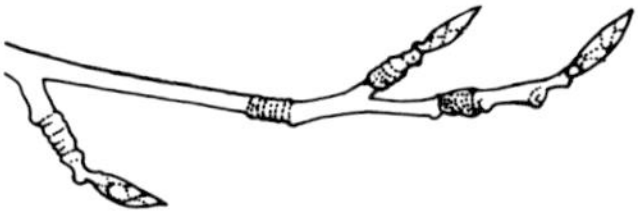

Ffawydden
Blagur hirion, brown tywyll ar frigyn brown.

Oestrwydden
Blagur brown golau ar frigyn llwydfrown igam-ogam.

Planwydden Llundain
Blagur brown siâp côn, a creithiau dail oddi tanynt.

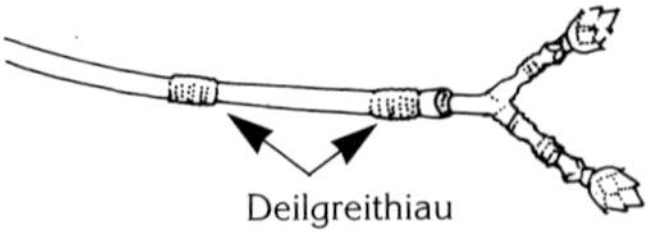

Masarnen/Sycamorwydden
Blagur mawr gwyrdd ar frigyn brown golau.

Llwyfen
Blagur main brown, blewog ar frigau caled.

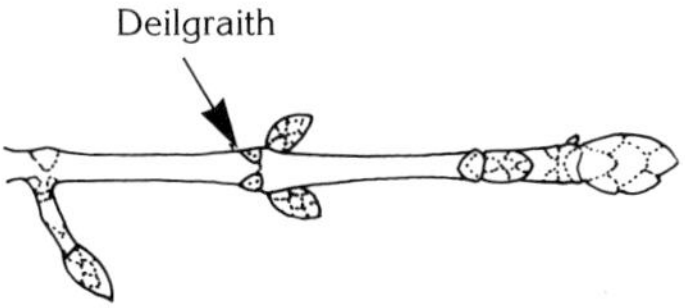

Castanwydden y Meirch
Blagur mawr brown, gludiog ar frigau praff, a deilgreithiau amlwg.

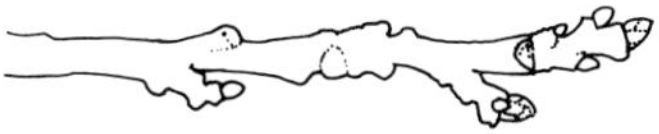

Castanwydden Bêr
Brigau cnapiog gwyrddfrown, a blagur crynion, browngoch.

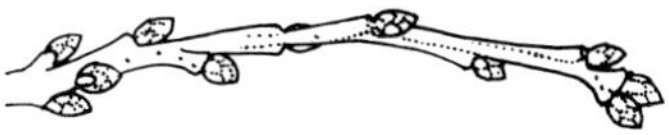

Ceiriosen Wyllt
Blagur tewion, sgleiniog, browngoch yn glwstwr ar flaen brigyn brown golau.

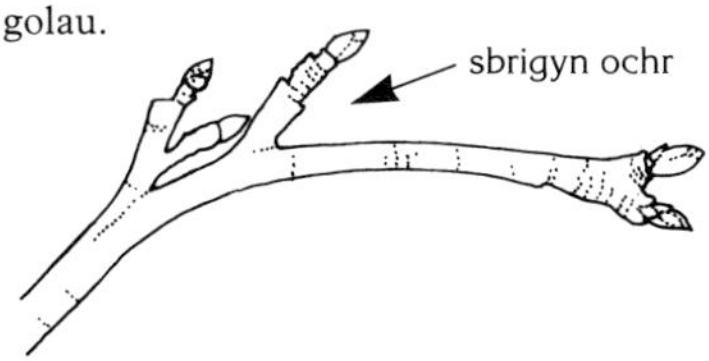

Coeden Afalau Surion
Blagur bychain blewog, brown, yn aml yn gwyro i un ochr, ar frigyn sgleiniog.

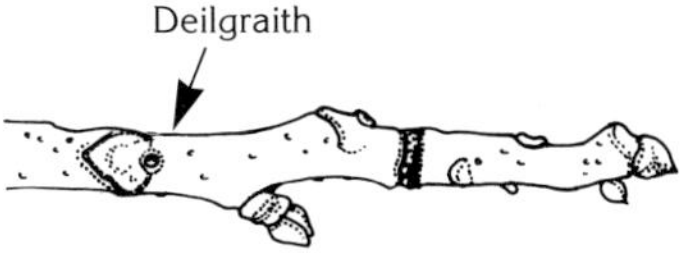

Coeden Gnau Ffrengig
Blagur mawr du, melfedaidd ar frigau tewion gwag.

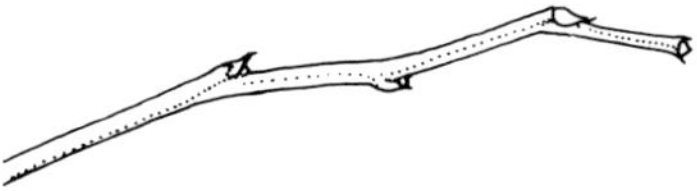

Ffug-acasia
Blagur bychain a drain ar eu gwaelod, ar frigau igam-ogam gwrymiog.

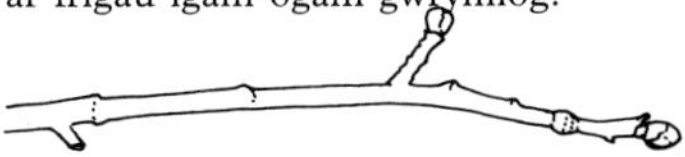

Cerddinen Wyllt
Blagur gwyrdd gwastad ar frigau brown golau.

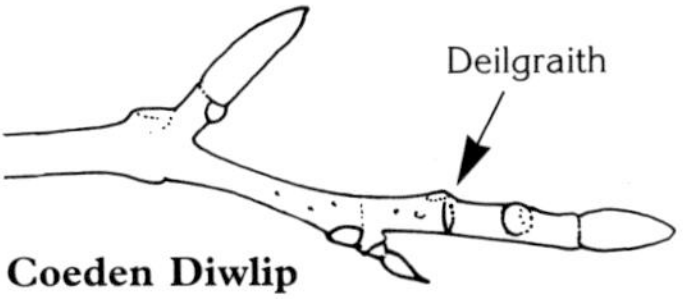

Coeden Diwlip
Blagur gwastad, porffor ar goesau byr. Brigau brown golau.

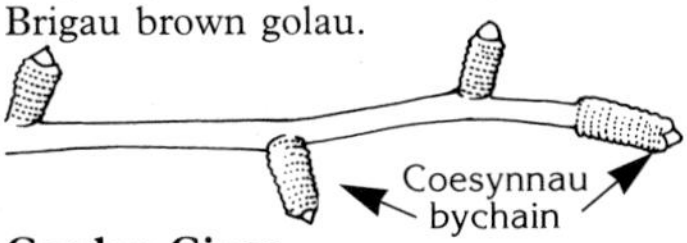

Coeden Ginco
Blagur byrdew browngoch ar frigau brown golau.

Pisgwydden
Y blagur browngoch yn tyfu'n unochrog ar frigau cochlyd.

Cwis Adnabod Rhisgl

Wyddoch chi ar ba goed y gwnaed yr argraffiadau rhisgl hyn? Mae'r atebion â'u pennau i lawr ar waelod y dudalen.

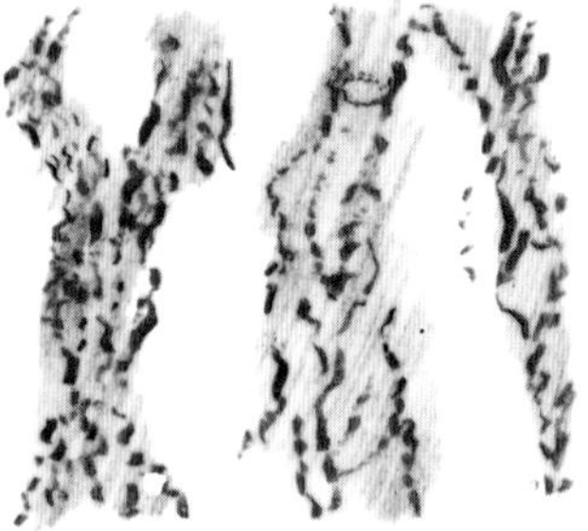

1 ________________

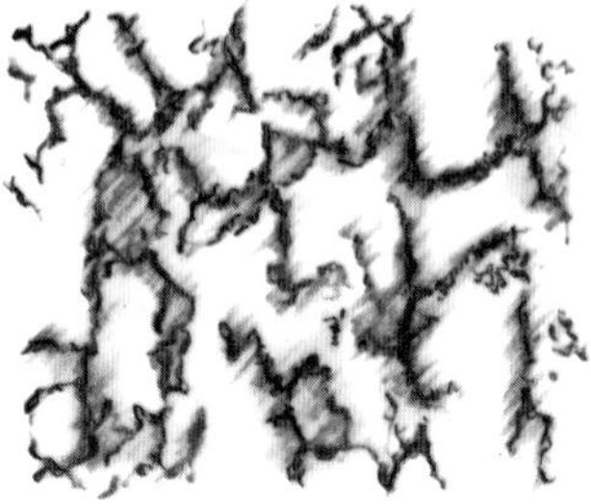

2 ________________

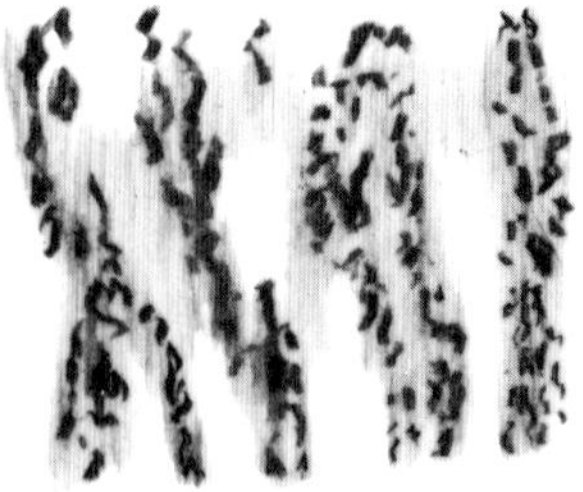

3 ________________

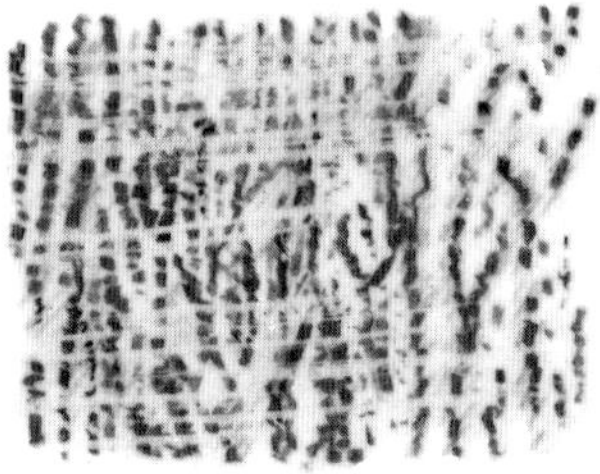

4 ________________

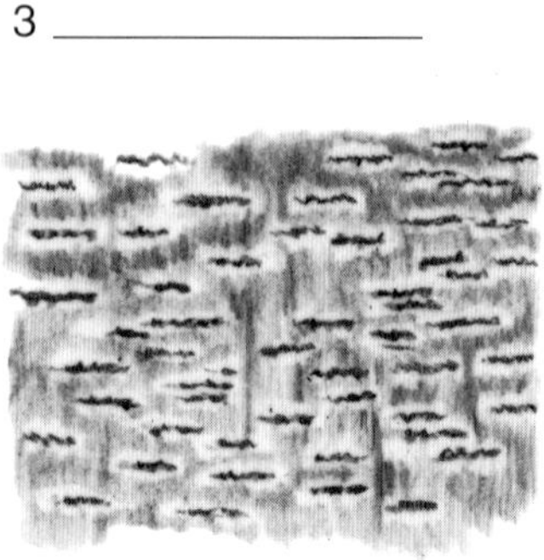

5 ________________

6 ________________

1. Coeden Gnau Ffrengig 2. Planwydden Llundain 3. Derwen Goesog 4. Ffawydden 5. Bedwen Arian 6 Castanwydden Bêr 7. Pinwydden yr Alban 8. Cerddinen Wen 9. Poplysen Lombardi 10. Llarwydden.

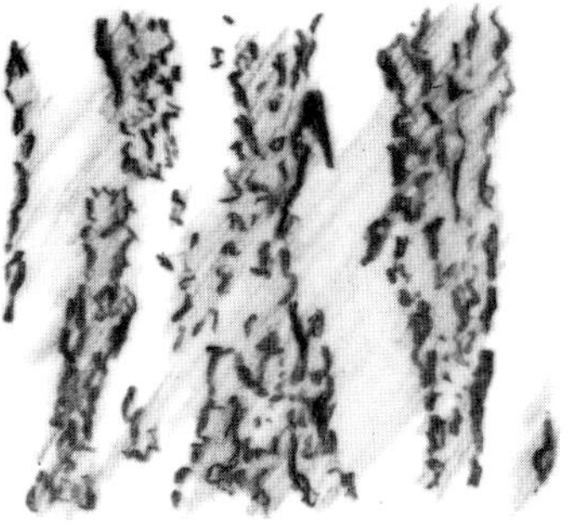

7 ________________

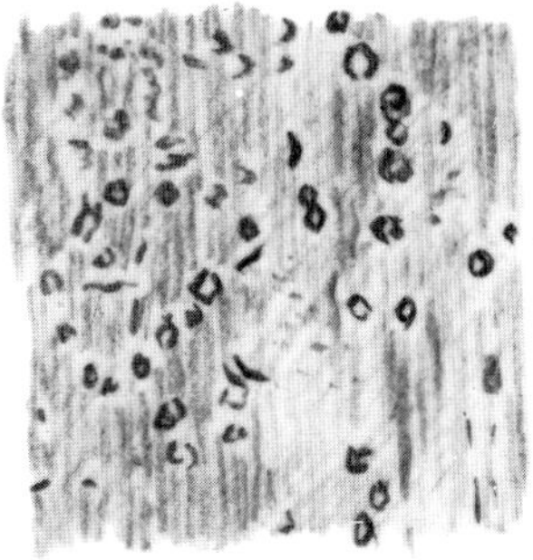

8 ________________

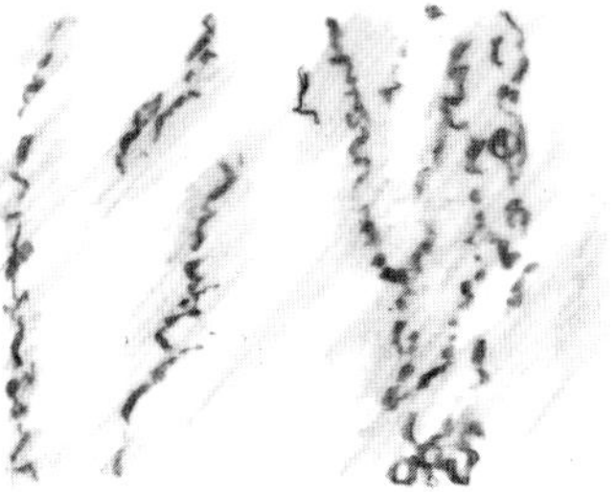

9 ________________

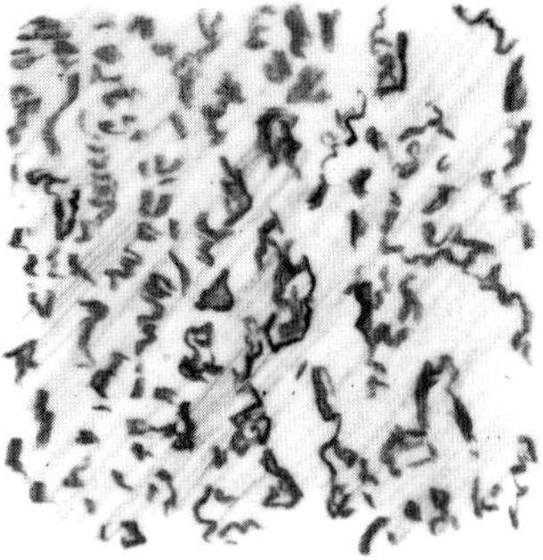

10 ________________

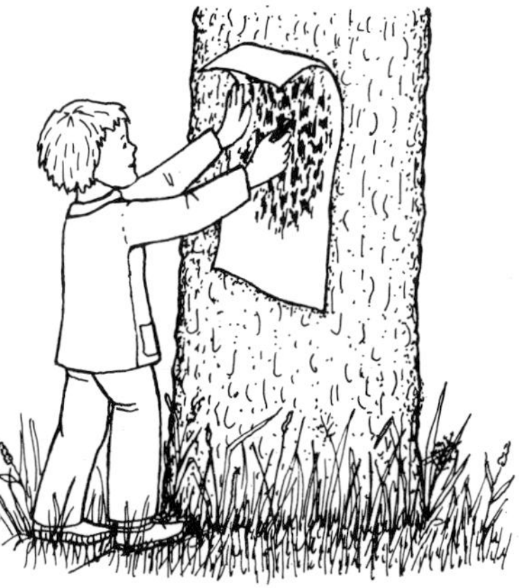

Sut i Wneud Argraff Rhisgl

I wneud argraff rhisgl, bydd angen papur cryf, tenau, creonau lliwio a tâp gludiog. Tapiwch y papur ar foncyff coeden ac yna rhwbio'r creon i fyny ac i lawr ar y papur tan y daw patrwm y rhisgl i'r golwg. Byddwch yn ofalus i beidio torri'r papur wrth rwbio.

Frwyth Pa Goeden?

Tybed i ba goeden mae'r ffrwythau yn y bocs yn perthyn? Mae'r atebion â'u pennau i lawr ar waelod tudalen 57.

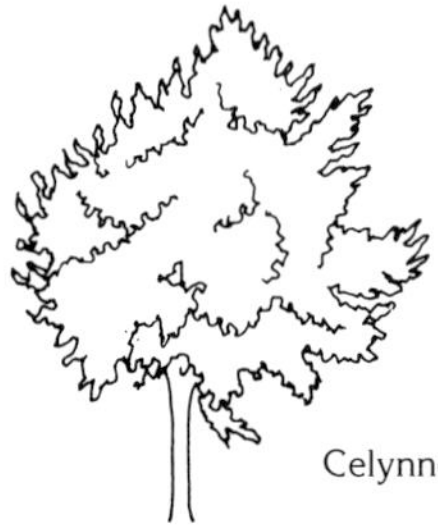

Celynnen

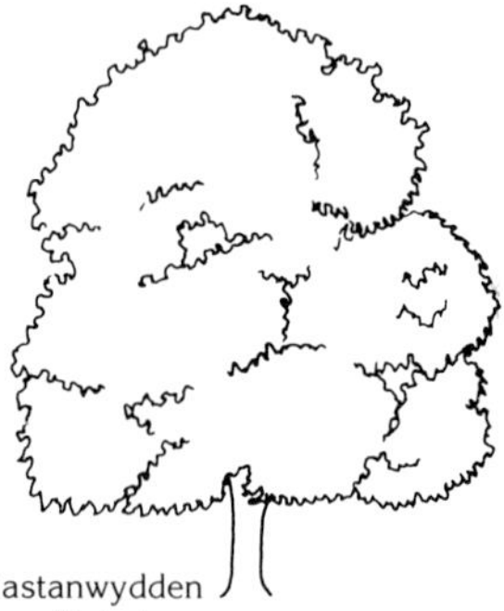

Castanwydden
y Meirch

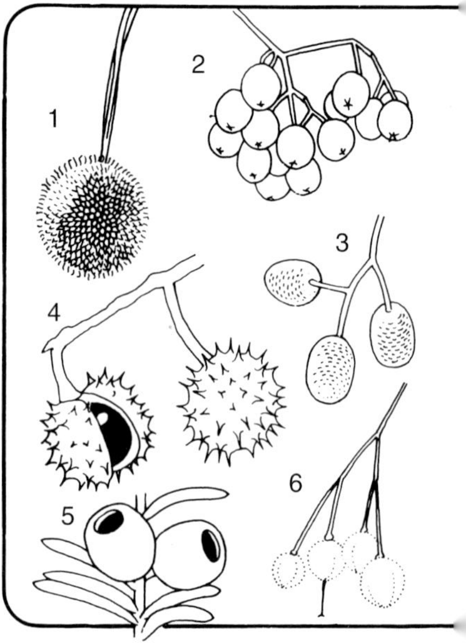

Pisgwydden

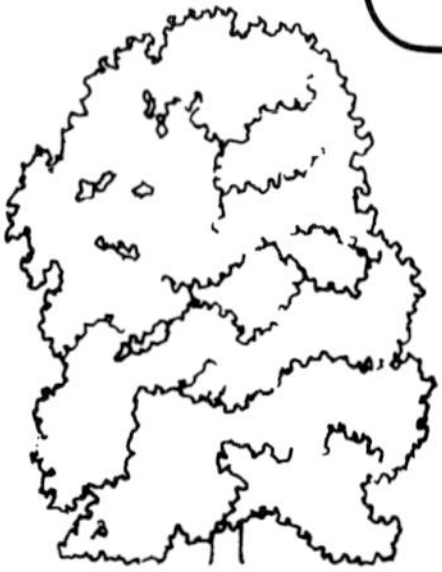

Coeden
Diwlip

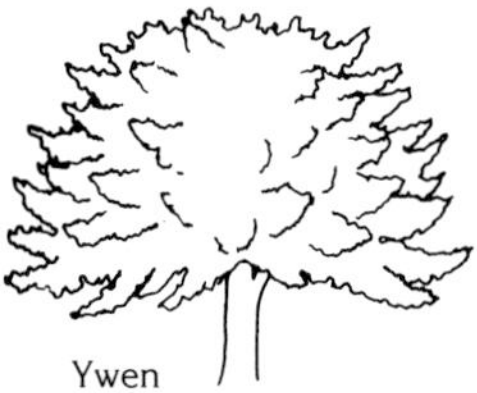

Ywen

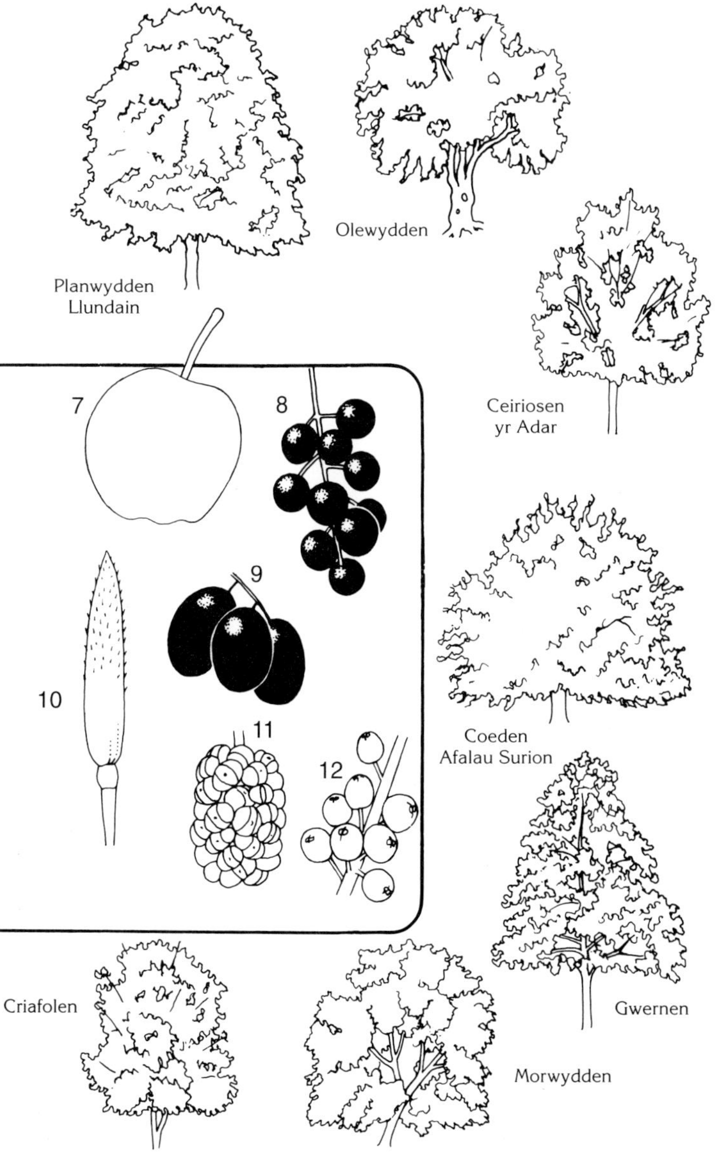

1. Planwydden Llundain 2. Criafolen 3. Gwernen 4. Castanwydden y Meirch 5. Ywen 6. Pisgwydden 7. Coeden Afalau Surion 8. Ceiriosen yr Adar 9. Olewydden 10. Coeden Diwlip 11. Morwydden 12. Celynnen.

Tyfu o Hadau

Mae'n bosib tyfu eich coeden eich hun o hadyn. Yn gyntaf dewiswch hadau aeddfed un ai o'r goeden neu oddi ar y llawr. Mae mes yn hawdd iawn i'w canfod a'u tyfu, ond fe wnaiff bron unrhyw hadau ffres y tro. Fe gymera'r rhan fwya o hadau tua deufis i egino.

1

Rhowch y mes neu gnau caled eraill i fwydo mewn dŵr cynnes dros nos. Tynnwch y cwpanau oddi ar y mes ond peidiwch tynnu'r plisgyn.

2

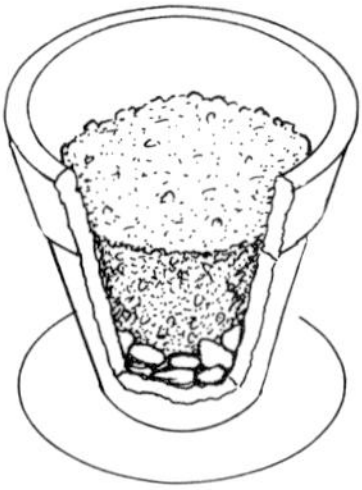

Rhowch gerrig mân neu raean yng ngwaelod y pot blodau. Bydd hyn yn help i'r dŵr ddraenio'n iawn. Llenwch y pot â phridd neu gompost. Rhowch soser o dan y pot a dyfriwch y pridd yn dda.

3

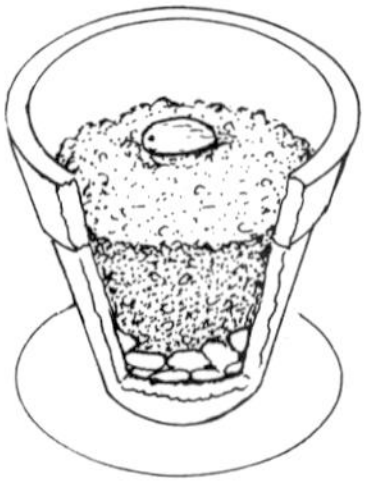

Bydd ar yr hadau angen digon o le i dyfu, felly rhowch un hadyn yn unig ym mhob pot. Gorchuddiwch yr hadyn ag ychydig o bridd. Pwyswch y pridd i lawr yn dynn ac yna ei ddyfrio eto.

4

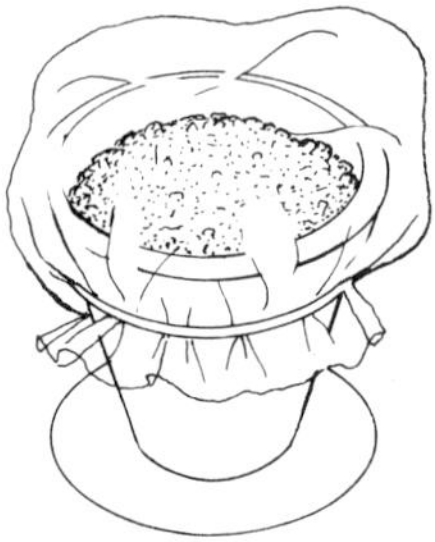

Rhowch fag plastig dros bob pot a rhoi band rwber neu linyn i'w ddal yn ei le. Bydd hyn yn cadw'r pridd yn y pot yn llaith heb i chi orfod ei ddyfrio. Rhowch y pot ar sil ffenest neu mewn lle heulog, os yw'n bosib. Bydd yr hadyn yn egino ymhen rhai wythnosau.

5

Unwaith y gwelwch fod yr egin yn tyfu tynnwch y bagiau plastig oddi ar y potiau. Dyfriwch nhw ddwywaith yr wythnos. Dylai'r pridd fod yn llaith ond nid yn rhy wlyb neu fe fydd yr egin yn pydru.

Yn aml bydd dail cyntaf yr egin yn edrych yn wahanol i'r dail ddaw yn ddiweddarach.

6

Os yw'n bosib, rhowch y coed ifanc y tu allan dros fisoedd yr haf. Yn yr hydref gallwch eu trawsblannu i'r pridd, neu eu cadw yn eu potiau a'u cadw nhw dan do mewn lle oer dros y gaeaf.

7

Gwnewch dyllau sy'n ddyfnach na'r potiau. Tynnwch y coed ifanc a'r pridd yn ofalus o'r potiau a'u rhoi yn y tyllau. Llenwch â phridd, gwasgwch yn dynn a dyfriwch nhw yn aml.

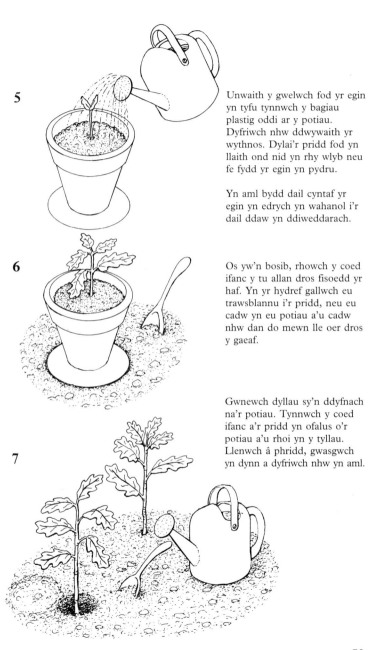

Llyfrau i'w Darllen

I adnabod coed:
The Trees of Britain and Northern Europe, A. Mitchell (Collins)
Field Guide to the Trees and Shrubs of Britain, E. & J. Harris (Readers Digest Nature Lover's Library)
Know your Broadleaves a *Know Your Conifers* (Comisiwn Coedwigaeth)

Gwybodaeth am goed:
Cyfres *Llyfrau Llwybr Natur: Coed a Dail* a *Coedwigoedd*, y ddau gan Dafydd Davies (Gomer)
Gwarchod Coed a Choedwigoedd, Alwena Williams (Gomer)
Coed (Cyfres Fioleg CBAC, rhifau 2 a 3), Mel Williams (Gomer)
Calendr y Coed, Berian Williams (Ivan Corbett, Truro)
Arweiniad i Barciau a Gerddi Hanesyddol Cymru (Ymddiriedolaeth Gerddi Hanesyddol Cymru)

Llefydd i Ymweld â Nhw

Gerddi a pharciau yw'r rhain, sy'n agored i'r cyhoedd ac yn llefydd da i weld gwahanol goed:

Gerddi Plas Newydd, Llanfairpwll, Môn
Gerddi Castell Penrhyn, ger Bangor
Gerddi Bodnant, Dyffryn Conwy
Parc Glynllifon, ger Caernarfon
Gerddi Plas Tan y Bwlch, Maentwrog, Gwynedd
Gerddi Porthmeirion, Gwynedd
Castell Bodelwyddan, ger Llanelwy, Dinbych
Gardd Goed Feifod, Llangollen
Parc Gwaysaney, Yr Wyddgrug
Erddig, ger Wrecsam
Castell y Waun, ger Wrecsam
Trawsgoed, Ceredigion
Yr Hafod, Pont-rhyd-y-groes, Ceredigion
Nanteos, Aberystwyth
Gregynog, Y Drenewydd, Powys
Leighton Hall, Y Trallwng, Powys
Castell Powys, Y Trallwng, Powys
Parc Stanage, Trefyclo, Powys
Parc Dinefwr, Llandeilo, Caerfyrddin
Gelli Aur, Llandeilo, Caerfyrddin
Aberpergwm, Glyn Nedd
Parc Singleton, Abertawe
Middleton Hall, Llanarthne, Caerfyrddin
Castell Pictwn, Hwlffordd, Penfro
Parc Margam, Port Talbot
Sain Ffagan, Caerdydd
Parc y Rhath, Caerdydd
Gerddi Dyffryn, Sain Nicholas, Caerdydd

Cofiwch hefyd alw heibio i goedwigoedd y Comisiwn Coedwigaeth. Ceir nifer dda o wahanol goed conwydd a llydanddail ynddynt fel arfer.

Enwau Gwyddonol

Dyma restr o enwau gwyddonol (Lladin) y coed yn y llyfr hwn. Gall yr enwau 'cyffredin' amrywio o ardal i ardal ac o wlad i wlad, ond mae'r enw Lladin yr un peth trwy'r byd.

t. 6 Pinus silvestris
Pinus pinaster
t. 7 Pinus pinea
Pinus contorta var. contorta
t. 8 Pinus nigra var. maritima
Pinus halepensis
t. 9 Pinus cembra
Pinus radiata
t. 10 Picea abies
Picea sitchensis
t. 11 Larix decidua
Larix kaempferi
t. 12 Chamaecyparis nootkatensis
Abies alba
t. 13 Abies cephalonica
Abies pinsapo
t. 14 Abies grandis
Abies procera
t. 15 Pseudotsuga menziesii
Tsuga heterophylla
t. 16 Thuja plicata
Chamaecyparis lawsoniana
t. 17 Cupressus sempervirens
Cupressus macrocarpa
t. 18 Taxodium distichum
Cupressocyparis leylandii
t. 19 Cryptomeria japonica
Juniperus communis
t. 20 Taxus baccata
Metasequoia glyptostroboides
t. 21 Sequoia sempervirens
Sequoiadendron giganteum
t. 22 Cedrus atlantica
Cedrus libani
t. 23 Araucaria araucana
Cedrus deodara
t. 24 Quercus robur
Quercus petraea
t. 25 Quercus ilex
Quercus cerris
t. 26 Quercus suber
Quercus borealis
t. 27 Fraxinus excelsior
Fraxinus ornus
t. 28 Alnus glutinosa
Alnus incana
t. 29 Sorbus aucuparia
Sorbus aria
t. 30 Populus tremula
Populus serotina
t. 31 Populus alba
Populus trichocarpa
t. 32 Populus nigra 'Italica'
Populus canescens
t. 33 Salix caprea
Salix fragilis
t. 34 Salix alba
Betula pendula
t. 35 Fagus silvatica
Carpinus betulus
t. 36 Malus silvestris
Pyrus communis
t. 37 Nothofagus procera
Ulmus laevis
t. 38 Platanus hispanica
Acer pseudoplatanus
t. 39 Acer platanoides
Acer campestre
t. 40 Tilia europaea
Tilia tomentosa
t. 41 Ulmus procera
Ulmus glabra
t. 42 Aesculus hippocastanum
Castanea sativa
t. 43 Prunus avium
Prunus padus
t. 44 Morus nigra
Juglans regia
t. 45 Robinia pseudoacacia
Laburnum anagyroides
t. 46 Ilex aquifolium
Tamarix gallica
t. 47 Olea europea
Chamaerops humilis
t. 48 Liriodendron tulipifera
Ginkgo biloba
t. 49 Hippophae rhamnoides
Frangula alnus
t. 50 Crataegus monogyna
Crataegus laevigata
t. 51 Viburnum opulus
Sorbus torminalis

Mynegai

Taflen Sgorio

Rhestrir y coed ar y daflen sgorio hon yn yr un drefn ag y maent yn ymddangos yn y llyfr. Pan fyddwch yn mynd am dro, rhowch y dyddiad ar ben un o'r colofnau gwag a rhowch eich sgôr oddi tano yn y bocs ger enw pob coeden wahanol a welwch. Ar ddiwedd y dydd adiwch eich sgoriau a rhoi'r cyfanswm ar waelod y golofn.

Tud.	Coeden	Sgôr	Dyddiad	Dyddiad	Dyddiad
6	Pinwydden yr Alban	**5**			
6	Pinwydden Arfor	**15**			
7	Pinwydden Gneuog	**25**			
7	Pinwydden Gamfrig	**10**			
8	Pinwydden Corsica	**10**			
8	Pinwydden Aleppo	**25**			
9	Pinwydden Arolla	**25**			
9	Pinwydden Monterey	**15**			
10	Sbriwsen Norwy	**10**			
10	Sbriwsen Sitka	**5**			
11	Llarwydden Ewropeaidd	**5**			
11	Llarwydden Japaneaidd	**10**			
12	Cypreswydden Nootka	**15**			
12	Ffynidwydden Arian	**10**			
13	Ffynidwydden Groeg	**20**			
13	Ffynidwydden Sbaen	**20**			
14	Ffynidwydden Fawr	**10**			
14	Ffynidwydden Urddasol	**15**			
15	Ffynidwydden Douglas	**10**			
15	Hemlog y Gorllewin	**10**			
		Is-gyfanswm			

Tud.	Coeden	Sgôr			
16	Thwia Blethog	**10**			
16	Cypreswydden Lawson	**5**			
17	Cypreswydden Eidalaidd	**20**			
17	Cypreswydden Monterey	**15**			
18	Cochwydden Gollddail	**15**			
18	Cypreswydden Leyland	**10**			
19	Cochwydden Japaneaidd	**15**			
19	Merywen	**15**			
20	Ywen	**5**			
20	Cochwydden Gollddail Chineaidd	**25**			
21	Cochwydden Arfor	**20**			
21	Cochwydden Gawraidd	**20**			
22	Cedrwydden Atlas	**15**			
22	Cedrwydden Libanus	**15**			
23	Pinwydden Chile	**5**			
23	Cedrwydden Deodar	**15**			
24	Derwen Goesog	**5**			
24	Derwen Ddi-goes	**5**			
25	Derwen Fythwyrdd	**10**			
25	Derwen Twrci	**10**			
		Is-gyfanswm			

Tud.	Coeden	Sgôr			
26	Derwen Gorc	**25**			
26	Derwen Goch	**10**			
27	Onnen	**5**			
27	Onnen Fanna	**15**			
28	Gwernen	**5**			
28	Gwernen Lwyd	**15**			
29	Criafolen/ Cerddinen	**5**			
29	Cerddinen Wen	**15**			
30	Aethnen	**15**			
30	Poplysen Ddu Groesryw	**10**			
31	Poplysen Wen	**15**			
31	Poplysen Falm Orllewinol	**15**			
32	Poplysen Lombardi	**10**			
32	Poplysen Lwyd	**15**			
33	Helygen	**10**			
33	Helygen Frau	**10**			
34	Helygen Wen	**15**			
34	Bedwen Arian	**5**			
35	Ffawydden	**5**			
35	Oestrwydden	**10**			
36	Coeden Afalau Surion	**10**			
36	Gellygen	**10**			
37	Ffawydden Rauli	**15**			

Is-gyfanswm

Tud.	Coeden	Sgôr			
37	Llwyfen Wen	**25**			
38	Planwydden Llundain	**10**			
38	Masarnen/ Sycamorwydden	**5**			
39	Masarnen Norwy	**10**			
39	Masarnen Fach	**15**			
40	Pisgwydden	**10**			
40	Pisgwydden Arian	**20**			
41	Llwyfen	**15**			
41	Llwyfen Lydanddail	**10**			
42	Castanwydden y Meirch	**5**			
42	Castanwydden Bêr	**5**			
43	Ceiriosen Wyllt	**5**			
43	Ceiriosen yr Adar	**10**			
44	Morwydden	**20**			
44	Coeden Gnau Ffrengig	**20**			
45	Ffug-acasia	**20**			
45	Tresi Aur	**10**			
46	Celynnen	**5**			
46	Grucbren/ Tamarisc	**15**			
47	Olewydden	**25**			
47	Palmwydden Wyntyll	**15**			
48	Coeden Diwlip	**20**			
48	Coeden Ginco	**20**			

Cyfanswm